BUZZ

Publisher ANDERSON CAVALCANTE
Editora TAMIRES VON ATZINGEN
Assistente editorial JOÃO LUCAS Z. KOSCE
Revisão CRISTIANE MARUYAMA, LIGIA ALVES, LARISSA WOSTOG
Projeto gráfico ESTÚDIO GRIFO
Assistente de design FELIPE REGIS

Dados Internacionais de Catalogação na Publicação (CIP)
de acordo com ISBD

S474t

Sena, Antonio
36 dias: a saga do piloto de avião que caiu na Amazônia e se reencontrou com Deus / Antonio Sena
São Paulo: Buzz, 2021.
160 pp.
ISBN 978-65-89623-27-4

1. Autoajuda. 2. Superação. 3. Fé. I. Título.

CDD 158.1
2021-1587 CDU 159.947

Elaborado por Odilio Hilario Moreira Junior CRB-8/9949

Índice para catálogo sistemático:
1. Autoajuda 158.1
2. Autoajuda 159.947

Buzz Editora Ltda.
Av. Paulista, 726 – mezanino
CEP 01310-100 – São Paulo/SP
[55 11] 4171 2317
[55 11] 4171 2318
contato@buzzeditora.com.br
www.buzzeditora.com.br

ANTONIO SENA

36 DIAS

Tem coisas que a ciência não explica. Outras estão muito além da nossa capacidade de entendimento. E às vezes apenas o sobrenatural pode dar pistas de como e por que certas coisas acontecem.

Um minuto para Deus pode significar anos para o ser humano.

Trinta e seis dias pareceram uma eternidade. Mas será que não foi o tempo de que eu precisava para me reconciliar com Deus?

01

O VOO

Em julho de 2019, eu tinha acabado de retornar da África. Mesmo com uma boa situação profissional naquele momento, em um continente que me dava muitas oportunidades, vi que era hora de voltar para o meu país. Tem coisas que o dinheiro não paga – e estar com a família, para mim, sempre foi uma delas. Foi bom demais voltar para Santarém, cidade do Pará onde o rio Tapajós se encontra com o rio Amazonas e acontece o famoso "encontro das águas". Santarém é minha casa, onde está meu coração, onde eu encontro a paz.

Logo que retornei, fui procurar emprego em uma empresa aérea da cidade. Estava convicto de que encontraria uma vaga, mas era pura ilusão.

Sem emprego como piloto, passei a buscar outras alternativas como fonte de renda, e foi assim que decidi abrir um *brewpub* junto com um amigo. Um *brewpub* é um lugar onde você fabrica sua própria cerveja de maneira artesanal. Achei interessante encarar essa nova atividade, pois ela me ligava à gastronomia, uma das minhas paixões.

Esse meu amigo era um homem estabilizado na vida, com seus sessenta e poucos anos, alguns negócios ativos e um ideal muito definido: entrar na área da cervejaria artesanal. Para mim, a sociedade seria um meio de tirar meu sustento naquele período sem voar.

Passamos os meses de julho a dezembro planejando cada microdetalhe, e no finalzinho do ano fizemos a inauguração. Era quase Natal, a cidade estava em festa, clima de confraternização e encontros.

Apesar de todas as dificuldades que um novo empreendimento comercial enfrenta, conseguimos conquistar algum espaço. E, no fim de fevereiro de 2020, veio a pandemia de Covid-19.

O nosso pub estava aberto havia dois meses apenas.

Primeiro sofremos com a limitação do horário de funcionamento, depois vieram as fases mais restritivas. Foi um impacto muito grande, e para mim estava cada vez mais difícil. Eu não conseguia tirar nada, nem um real. Então, pensei muito e resolvi desfazer a sociedade.

Fui me mantendo aos trancos e barrancos nos meses seguintes até que surgiu a oportunidade de abrir outro negócio: um restaurante "com cara de boteco", que exigiria um investimento muito menor. Isso aconteceu em outubro de 2020.

Meus pais me ajudaram, coloquei uma grana, trabalhei muito. As regras da quarentena foram flexibilizadas e tudo parecia estar indo bem quando veio a segunda onda. E todo o comércio precisou ser fechado novamente. Mais restrições, as coisas se complicaram, as contas foram se acumulando, e eu tinha que pagar funcionários e fornecedores.

Vivi na pele um drama que todo empreendedor brasileiro sabe bem como é.

Foi quando um amigo meu que é piloto, e a quem eu conhecia fazia muito tempo, disse que estava indo passar uns dias em São Paulo e que seu patrão não queria que o avião ficasse parado. Ele perguntou se eu não queria substituí-lo durante aquele período.

"Bora tentar", respondi, animado porque ia entrar alguma coisa e eu poderia pagar algumas contas e, principalmente, pagar os funcionários.

Era domingo, dia 24 de janeiro, quando fizemos o translado da aeronave, para que eu conhecesse as condições do avião. Eu tinha um nível de exigência muito alto em relação à segurança e à documentação, pois sempre trabalhei com empresas grandes e não havia outra maneira de encarar isso.

Consultei a situação da aeronave junto aos órgãos de aviação civil e estava tudo legal. Não havia qualquer irregularidade. O avião apresentava algumas panes menores e o alternador estava intermitente, mas isso não influenciaria na segurança do voo. Explicando melhor: o alternador serve, basicamente, para carregar a bateria. Se a voltagem cair até determinado nível, não se consegue dar a partida no motor, e, rusticamente, o avião tem que "pegar no tranco", algo comum nesse tipo de aeronave. Embora eu já tivesse ouvido falar desse procedimento, nunca tinha visto isso de perto. Eles prendem uma corda na hélice e puxam para iniciar o giro, ou seja, para "pegar no tranco".

Mas naquele dia demos a partida do jeito normal e fomos para Itaituba, no Pará. O rádio estava ruim, chiava bastante, e não conseguimos usá-lo, por isso usamos o rádio portátil para fazer a comunicação com outras aeronaves e o tráfego aéreo. Os instrumentos de navegação estavam excelentes. Tudo estava funcionando muito bem, e isso me dava segurança para fazer um eventual voo. Tinha até uns instrumentos mais modernos, inclusive um GPS muito bom e um horizonte artificial digital. Depois do voo, eu e o piloto voltamos de carro para Santarém, e passei toda a segunda-feira em casa.

Na terça, logo cedo, recebi uma mensagem do contratante dizendo que ele iria precisar de mim. Avisei minha família e minha namorada de que iria fazer esse voo e que sabia que passaria uns quatro ou cinco dias fora de casa. Segui para Itaituba. Uma viagem de quatro horas de carro.

Cheguei após o almoço e fui direto para o hangar onde faziam a manutenção. Eles estavam trocando o alternador. Achei tudo um pouco desorganizado, mas não pude fazer muita coisa; era a minha realidade naquele momento.

Fiquei ali acompanhando a manutenção e, depois de finalizada, fiz um voo de teste. Notei que estava tudo funcionando bem, e fiquei esperando o dia de voar.

Na quarta, saímos cedo para o aeroporto. Fiz todos os checks pré-voo, abastecemos e embarcamos: dois passageiros, o contratante e eu.

Quando chegamos ao destino, a visibilidade estava ruim e o pouso não seria possível, então desviamos para uma pista de apoio indicada pelo contratante a cinquenta minutos do destino inicial. Chegando lá ele desceu, falou com alguns funcionários, e eu aproveitei para abastecer a aeronave. Com os tanques cheios, teria cinco horas e meia de autonomia.

Ficamos esperando das dez da manhã até uma e meia da tarde. Quando ele recebeu a notícia de que o tempo estava bom no destino, decolamos, e esse voo serviu para eu fazer o reconhecimento da rota que percorreria no dia seguinte.

Me admirou o quanto a floresta era fechada naquela área. Eu já tinha muita experiência voando sobre a Amazônia, mas mesmo assim aquela rota me chamou a atenção.

Chegando ao destino, fiz o procedimento de pouso normal, os passageiros desembarcaram, retiraram a carga, e eu fiquei esperando a hora de decolar de volta.

No entanto, já nesse voo percebi que o alternador voltou a ficar intermitente. Teríamos que fazer a bendita partida usando a corda. Confesso que estava curioso para ver aquele procedimento. Entrei no avião, eles enrolaram a corda no *spinner* do avião e disseram: "Quando a gente puxar a corda, você dá a partida".

Fizemos tudo conforme o combinado e, para a minha surpresa, deu certo. Com o motor funcionando, o contratante embarcou de volta e nós decolamos. Foram mais 65 minutos de voo sem nenhuma anormalidade. Apenas o alternador intermitente.

Chegamos à cidade de Alenquer, finalizamos os trabalhos e segui direto para o hotel. Embora cansado, ainda fui ler o manual do avião e planejar os voos do dia seguinte, uma prática que sempre me deixava mais seguro. Quando fui dormir já eram umas dez horas, e eu sabia que tinha que acordar cedo na manhã seguinte.

Acordei às sete, tomei meu café da manhã e pontualmente às oito estava em frente ao hotel, aguardando o taxista.

Paramos apenas para abastecer o carro e comprar mais alguns mantimentos que seriam levados no voo, e então fomos para o aeroporto. Fiz meu check pré-voo, verifiquei as condições da aeronave, conferi instrumentos e observei que a bateria estava com a voltagem um pouco abaixo do mínimo para a partida. Entendi que teríamos outra vez que dar partida na corda. Aquele era um voo exclusivo com cargas, não haveria nenhum passageiro, somente eu e o avião. Seria meu primeiro voo sozinho naquela rota.

Com tudo pronto, só faltava decolar, mas o tempo não permitia o voo. Estava muito nublado, com nuvens baixas que me impediriam de fazer um voo visual, mantendo contato com o solo o tempo inteiro.

Decidi esperar as condições melhorarem para começar os trabalhos daquele dia. Já eram 12h40 quando o tempo melhorou e eu resolvi finalmente decolar. Embarquei, tomei meu lugar na cabine e novamente demos a partida com a corda. Logo percebi que o alternador voltou a funcionar e fiquei animado.

Após dar a partida, taxiei para a cabeceira da pista e decolei sem nenhuma anormalidade. O avião estava pesado, mas dentro dos limites permitidos e com duas horas e meia de autonomia – mais do que o suficiente para um voo de uma hora.

Iniciei a subida, sempre informando no rádio minha proa, altitude e distância até um ponto de referência, pois isso ajuda outros pilotos a saberem qual é minha localização no momento, evitando assim voar próximo ou em rotas de colisão. Isso é comum, natural e regulamentado. No Brasil não há condições de controlar todo o espaço aéreo, principalmente na Amazônia e em voos de baixa altitude.

Continuei informando sempre minha posição atual, altitude e proa, porém não recebi resposta nenhuma, por isso acredito que voava sozinho naquele dia.

Nivelei a três mil pés, pois as nuvens estavam um pouco baixas, e eu precisava manter condições visuais com o solo o tempo todo. Conforme me distanciava de Alenquer, ia me afastando de fazendas e plantações e adentrando uma área de mata fechada e virgem. Em quinze minutos já estava sobrevoando aquela área intocada da Amazônia.

Ia olhando, contemplando tudo aquilo. Sempre observando ao redor. O pensamento que nos vem à cabeça é: "Se algo acontecer aqui, o que eu faço?". Raramente o piloto está totalmente relaxado. Sempre devemos estar prontos para qualquer situação. No entanto, passados quarenta minutos de voo, tudo estava sob controle.

Subitamente, o motor parou.

Não acreditei no que estava acontecendo. Meu primeiro voo sozinho naquela rota e o motor me deixava na mão!

Eu estava em uma situação de pane real, em um monomotor, em baixa altitude, sobrevoando uma área de mata extremamente fechada, mas nada disso poderia me tirar a atenção naquele momento crítico. Fui treinado para aquilo, e tinha chegado o instante de colocar em prática tudo o que eu sabia. Respirei fundo e na hora me vieram todos os ensinamentos de aeroclube e de simulador.

"Fique calmo, identifique a pane e pilote o avião."

Então vi que o *fuel flow* (instrumento que informa quanto de combustível está entrando no motor) foi para zero. O procedimento seguinte era tentar religar o motor. Coloquei a manete de mistura na posição que permite a maior entrada de combustível possível no motor, baixei um pouco o nariz do avião para a hélice girar ainda mais e tentei dar a partida. Não funcionou. Tentei o mesmo procedimento novamente, mas trocando a seletora de combustível para o outro tanque. Mais uma vez não funcionou. A aeronave já começava a perder altura.

Não havia mais o que fazer.

Segui o que os treinamentos recomendam para um avião monomotor.

Eu sabia que a queda era inevitável.

E me concentrei em voar no avião. Para um monomotor, isso significa que agora você está em um planador, e todo avião tem sua velocidade ideal para planeio. Eu trouxe o avião para a velocidade de planeio e compensei os comandos. Fazemos isso para que a aeronave desça o mais lentamente possível e com maior controle. Fiquei controlando a velocidade e a razão da descida, procurando onde fazer esse pouso forçado em uma região de tantas serras e mata fechada. Eu olhava incrédulo, mas, com o condicionamento mental que não me deixava pensar que não ia conseguir pousar o avião, a adrenalina não dava espaço para o medo.

Minha cabeça estava muito acelerada, meu corpo recebia um tsunami de adrenalina. Lembro de cada instante daquele momento porque realmente não é possível esquecer. Em pleno voo, o motor para. Imediatamente penso: "Preciso manter a calma". Esse é o primeiro item do checklist de um piloto. Depois, identificar o problema – e o motor desligou.

Em seguida, a pergunta-chave: tem solução? Depois de algumas tentativas, o motor insiste em não ligar, então a resposta é: *não*. Pego o rádio e digo: "May Day, May Day, May Day". Informo que estou caindo e passo minha localização enquanto decido se vou seguir planando em linha reta, ou se viro para a direita ou para a esquerda à procura de um local sobre milhares de árvores, buscando onde pousar.

"May Day, May Day, May Day..."

Como foi duro fazer essa chamada no rádio. Ela representa um momento pelo qual nenhum piloto quer passar na vida. Durante anos fazemos reciclagens e treinamentos para situações de pane, porém a chamada "May Day" só é usada quando realmente não há mais o que ser feito e não resta dúvida de que estamos em uma emergência. Em todas as simulações essa frase só é dita depois de analisarmos muito bem a situação e de sabermos que o perigo e o risco de vida para os ocupantes da aeronave são reais. Mas ali não era uma simulação, era a vida real. Ali eu afirmava e confirmava que a minha vida estava em risco.

Vale lembrar que o avião ainda estava caindo, mas tudo aconteceu muito rápido. Foram dois minutos entre o motor parar, fazer o checklist e me preparar para a queda, melhor dizendo, para o impacto.

Eu só pensava em achar um local e colocar o avião no chão.

Foi quando, à minha esquerda, observei um pequeno vale entre duas serras menores, e nele havia muitos açaizeiros e palmeiras. Conheço a Amazônia, e sabia que ali poderia ser um alagado, ter presença de água.

"Vai ser ali", foi o que pensei naquele momento.

O tempo que você levou para ler este capítulo provavelmente foi maior do que o tempo em que tudo isso aconteceu. Para muitos, pode parecer bastante. Para outros, pouco.

Para mim, foram minutos decisivos.

02

A QUEDA

Existem momentos na vida em que precisamos escolher imediatamente que rumo tomar. Nessas situações, não temos muito tempo. É agir ou agir. E naquela hora, definitivamente, não dava para escolher.

O vale com açaizeiros parecia o lugar ideal para amenizar o impacto. A regra na minha cabeça era muito simples: definir o local e chegar até ele. Eu tinha sido treinado para isso. Era ficar calmo, voar o avião e seguir os procedimentos.

Em uma simulação, isso pode parecer simples. Na prática, era colocar um avião no chão sem contar com uma pista e em uma área cheia de obstáculos. Uma descida rápida e com a adrenalina subindo. A cada centésimo de segundo decisões eram tomadas, e seriam elas que definiriam a minha morte ou alguma chance de sobrevivência.

Eu via o chão chegando, as árvores ficando mais próximas. O nível de adrenalina era imenso. Usei dez graus de *flap* nas asas para diminuir a velocidade o máximo possível sem perder o controle do avião e decidi não baixar o trem de pouso, para evitar que ele enganchasse em alguma árvore. O plano era que as árvores ajudassem a desacelerar a aeronave.

Um plano. Uma execução rápida. E a frieza para fazer acontecer do jeito planejado.

Fui descendo e levantando o nariz do avião. Logo senti a primeira árvore raspar embaixo da aeronave, bem embaixo dos meus pés, senti a segunda e na terceira ouvi que tinha batido em alguma coisa. Lembro de tentar controlar o avião até o último momento, não sei se tive tempo de me proteger do impacto – como se fosse possível. Quando acabou aquela confusão, eu estava no chão.

No chão.

Respirei.

De olhos fechados, senti o que tinha acontecido. Eu estava vivo. Abri os olhos. Meu corpo estava coberto de combustível. A carga tinha vindo para a frente e o painel da aeronave estava em cima de mim.

Eu estava esmagado, mas consciente.

Geralmente só percebemos a força que temos para lidar com uma situação que requer frieza e agilidade quando ela surge. E, embora eu soubesse da gravidade da situação, precisava sobretudo manter a calma.

A aeronave tinha entrado de nariz no igarapé, um curso de água constituído por um braço longo de rio com pouca profundidade e que corre no interior da mata. Existem muitos deles na bacia amazônica.

A água foi fundamental para esfriar o motor, e a minha prioridade agora era sair rapidamente dali.

A frieza que eu havia desenvolvido ao ser treinado – principalmente a parte de colocar o avião onde eu queria – tinha me ajudado a estar consciente sem entrar em pânico. Sempre que me vejo diante de situações de grande estresse, sou racional, pragmático, e isso me ajudou muito naquele momento.

A adrenalina estava tão alta que não lembro de ter sentido qualquer dor. Meu instinto me dizia para sair dali o mais rápido possível. Me apoiei no painel e saí pela frente, pois o para-brisa tinha sido arremessado com o impacto. Não sei de onde tirei forças, mas consegui colocar as mãos em cima do painel e empurrá-lo e enfim sair. Vi que não estava preso em ferragens, o que por si só já era muito bom. Fiquei em cima do berço do motor e olhei para aquela máquina azul de asas brancas, completamente destruída. Tentava entender o que tinha acontecido.

Saí dali e fui para o lado de um pulo só. Consegui avistar o chão. O avião sem o trem de pouso não é muito alto, menos de um metro e sessenta.

Assim que consegui sair, percebi que não tinha nenhum osso quebrado, nem pé, nem perna. Nada.

Meu pensamento estava acelerado. Eu sabia que precisava me afastar da aeronave, e rápido. A situação era muito perigosa. Apesar de o motor estar na água, havia bastante combustível vazando e todos os circuitos elétricos da aeronave ainda funcionavam. O risco de um incêndio era iminente.

Mesmo assim, eu precisava pegar tudo o que fosse necessário ou útil para o tempo que fosse ficar ali esperando que as buscas me encontrassem.

Eu já tinha acompanhado a procura por aviões na região amazônica. Na minha cabeça seriam de cinco a oito dias, um tempo de busca normal, e isso eu já tinha calculado desde o momento em que me senti vivo, ao abrir os olhos dentro da aeronave.

Eu entendia a seriedade da situação em que me encontrava. Minha mochila estava fora do avião, tinha sido cuspida, e eu sabia o que havia dentro dela: uma faca de bolso, um canivete multiuso, uma lanterna e dois isqueiros.

Comecei a procurar na aeronave coisas que fossem úteis para mim. Três garrafas de água de meio litro, que eu tinha levado para consumir durante o voo, a corda com que foi dada a partida no avião, com cerca de três metros, um saco com doze pães e um fardo de sacos de ráfia. Peguei também algumas latas de refrigerante. Couberam quatro na minha mão, e botei tudo isso na mochila.

Saí de perto da aeronave e bati uma única foto borrada.

Comecei a subir uma serra que estava à direita da aeronave.

Num fôlego só, consegui subir e, quando estava na metade do caminho, ouvi o barulho de algo queimando. Era o avião pegando fogo. Olhei para trás e só vi uma névoa preta de fumaça e algumas explosões. Senti um cheiro forte de combustível e tudo ficou para trás.

A sensação era uma só: alívio. Por ter sobrevivido, por estar inteiro.

Eu tinha sobrevivido a um acidente aéreo. Isso era surreal!

Continuei caminhando e cheguei ao topo da serra, onde passaria a primeira noite e começaria a tentar digerir tudo o que tinha acontecido. A adrenalina deu uma baixada. Meu pensamento era: "Caí, mas estou inteiro. Estou sozinho aqui e tenho treinamento de sobrevivência na selva".

Era só esperar o resgate.

03

SOBRE VIVER

Decidi ser piloto ainda jovem, quando comecei a trabalhar em uma companhia aérea. Nunca tive essa coisa de vocação. Eu e meus irmãos sempre tivemos liberdade para fazer o que gostávamos, e meu pai dizia constantemente: "Faça o que gosta e você vai ser naturalmente bom nisso".

Percebi que tinha chegado a hora de tomar um rumo na vida. Tinha largado duas faculdades, uma de sistemas de informação e outra de engenharia, e estava cursando publicidade e propaganda. A ideia era continuar estudando.

Trabalhando em uma companhia aérea, a aviação foi se tornando cada vez mais presente, mais forte, até que chegou o momento em que percebi que era o que eu queria para a minha vida. Tive que decidir entre continuar a faculdade e buscar uma formação como piloto. Para ser piloto você tem que investir num curso e pagar pelas horas de voo, e eu não tinha recursos para isso.

Aí entrou uma das maiores forças da vida: a força do amor.

Meus irmãos, Thiago e Mariana, viram que eu estava empenhado em colocar aquela ideia em prática e tomaram uma decisão. Nós tínhamos um terreno e os dois decidiram vendê-lo e ceder cada um a sua parte para pagar o meu curso.

Esse era o nosso jeito de viver. Um por todos e todos por um. Não havia terreno que valesse para eles mais do que o brilho nos meus olhos ao realizar um sonho.

Sempre fomos irmãos no sentido mais puro da palavra. É uma unidade, um cuidando do outro.

Quando eu estava mal por qualquer motivo, minha irmã me acolhia na casa dela. E quando eu estava bem e minha irmã precisava de alguma coisa, eu estava lá para apoiá-la. Um nunca admitia que o outro estivesse apenas sobrevivendo. Precisávamos ter certeza de que o outro estava bem de verdade.

Mas ali, no meio da floresta, eu estava sozinho.

Meses antes, eu pensava estar sobrevivendo enquanto tentava pagar boletos e passava dificuldade em meio à pandemia, abrindo e fechando meu estabelecimento comercial, mas só agora via o que era sobreviver de verdade.

Eu estava vivo. Tinha sobrevivido a um acidente aéreo.

Essas palavras ecoavam na minha mente enquanto eu tomava as providências imediatas. A primeira delas era saber o que fazer – e também o que não fazer. E entre as coisas que não deveria fazer estava beber água nas primeiras 24 horas. Não bebi água porque no treinamento de sobrevivência na selva você aprende que precisa se hidratar. Eu tinha que guardar aquele recurso para mais tarde.

Eu sabia também que não precisava comer nas primeiras 48 horas.

Dei mais uma olhada em tudo o que tinha recolhido e fui ver os ferimentos e o que dava para fazer em relação a eles.

A primeira coisa que notei foram escoriações nos dois joelhos. Ambos estavam doloridos e inchados. Havia um galo grande acima do supercílio esquerdo, e uma costela do lado esquerdo doía muito ao respirar.

Além disso, minhas costas doíam muito.

Eu sabia que a camiseta estava rasgada e que havia uma escoriação grande nas costas.

Tirei a calça jeans e a camiseta preta, melados de combustível, e lavei os ferimentos para vestir logo a roupa que tinha dentro da mochila.

E eu sabia que precisava de uma fogueira para passar a noite e espantar os bichos. A fumaça ajuda a manter os insetos longe. Era tudo tão imediato que eu não tinha tempo para pensar ou sentir.

Só agir.

E a ação mais necessária e urgente era fazer fogo. Fazer fogo.

Eu estava em uma floresta. Tinha água para alguns dias. Comida para alguns dias. E precisava de fogo. Era sobrevivência. Isso estava claro. Tinha sobrevivido a um acidente aéreo, mas precisava permanecer vivo até que o resgate chegasse.

Armei uma fogueira improvisada, com alguns poucos gravetos e galhos maiores, e acendi usando o tecido da camisa, que estava encharcado de combustível. Foi o que consegui fazer.

O dia estava úmido, mas não havia sinal de chuva. Eu precisava providenciar um abrigo, e então procurei dois galhos com forquilhas, aqueles ramos de árvore que se bifurcam com o formato aproximado da letra Y. Usei mais um galho e coloquei no meio delas, dando um formato de chalé ao meu abrigo, e o cobri com galhos de palmeira. Não era o ideal, mas seria meu refúgio naquela noite.

Deitei e, não sei como, dormi. Nem pensei, não lembro de nada. Apaguei completamente de exaustão, como se meu corpo estivesse pedindo aquele descanso. Nem tive tempo de sentir medo.

A noite estava escura, gelada. Era a noite escura da alma que começava a me atormentar.

Era tudo escuridão.

04

CORPO E MENTE EM AÇÃO

Abri os olhos em um lugar estranho... Sons, cheiros, gostos.

Tudo era novo. Respirei algumas vezes na tentativa de me reorganizar internamente e percebi que nada daquilo tinha sido um sonho. Ou um pesadelo.

Era real.

Eu estava acordando no meio de uma floresta. E não era qualquer floresta, era a maior floresta do mundo, com mais de cinco milhões de quilômetros quadrados. E, no meio da flora e da fauna mais abundantes do planeta, eu me levantei sozinho. O pior é que, antes da queda, eu sabia que não havia qualquer sinal de civilização perto de onde estava.

Passada a primeira noite, arrumei minhas coisas e desci a serra. Precisava ir ver o avião e saber se ainda havia alguma coisa que pudesse aproveitar, talvez mais alguma lata de refrigerante, ou um resto de combustível para fazer uma fogueira maior.

Quando cheguei lá, a surpresa: não tinha sobrado nada. Estava tudo queimado. Não havia mais painel, bancos, instrumentos, nada. O charuto do avião, aquela parte central, estava completamente queimado. Não dava para usar a aeronave nem como abrigo. Apenas uma parte das asas havia sobrado.

Quisera eu ter asas naquele momento. Mas eu estava no chão, com os pés fincados na terra, esperando algum milagre. Um resgate.

Como recomenda o curso de sobrevivência, montei o acampamento próximo ao local do acidente. Se vissem a clareira aberta, aquela seria minha chance. Eu estava em uma área de igarapés.

Não adiantava sair de perto dali, mas eu precisava de água, de preferência de água corrente. Se eu bebesse a água errada, não sobreviveria nem três dias ali.

Eu tinha aprendido muitas coisas com os mateiros e os caseiros de fazendas que costumava frequentar. Eles têm um conhecimento empírico, sabem tudo sobre a mata, e o conhecimento passa de geração para geração. Essas pessoas levam a vida com simplicidade e estão sempre na mata caçando pequenos animais. Sempre gostei de conversar e de aprender com essas pessoas, mas nunca me passou pela cabeça que um dia todas aquelas conversas corriqueiras me seriam tão úteis.

Uma das coisas que tinha aprendido com os caboclos da região era a usar a seiva do breu para fazer fogo. Não lembro quando nem como, mas tinha aprendido algumas coisas. Saber identificar os insetos que podem te machucar. Conhecer as plantas que existem na floresta e que podem ser úteis: tudo isso aquelas pessoas me ensinaram.

Tinha assistido na televisão a muitos programas de sobrevivência na selva, e neles sempre era dito que é melhor encontrar alguma água que nenhuma água, e que é bom que seja água corrente.

Na água parada existe muito sedimento, pouco oxigênio, e o risco de ingerir bactérias é bem grande. Eu estava preparado para beber até a minha própria urina se fosse necessário, mas naquele momento eu tinha água. A água que encontrei perto do igarapé tinha coloração e não era translúcida, porém não tinha cheiro nem sabor, o que era ótimo.

Nos primeiros dias eu tinha muita esperança de ser encontrado pelas equipes de busca.

A esperança é uma coisa engraçada. Ela alimenta seu despertar. Você se movimenta simplesmente por ter esse combustível dentro de si. Era uma faísca que vinha quando eu me lembrava de casa. Da minha mãe, dos meus irmãos. Dizem que a esperança é a última que morre, mas na verdade ela deve ser a primeira a nascer. Acordar com esperança deveria ser nossa prioridade na vida.

Eu não tinha essa consciência, mas sabia que era uma fonte da qual eu precisava me abastecer, porque com ela eu poderia ter mais vitalidade, poderia ir mais longe. Nas ações, no pensamento. Me fortaleci para encontrar paz de espírito enquanto esperava que tudo aquilo acabasse.

Eu não podia me entregar ao desespero. Era uma briga interna entre ele e a esperança. Mesmo que a dúvida e a angústia pudessem me assaltar, eu precisava suportar o fato de que aquela realidade era massacrante.

Olhando sob essa perspectiva, tanto o desespero quanto a esperança poderiam ser considerados uma ilusão.

Eu havia lido certa vez um conceito do judaísmo que dizia que "a queda é uma experiência constante daquilo que é vivo".

Comecei a pensar na situação que estava vivendo sem tentar me apavorar. Cuidava dos ferimentos: limpava as feridas, mantinha-as secas e limpas. E passava um tempo dentro do abrigo para pensar.

O tempo...

Ah, como o tempo era diferente naquele lugar. Quinze minutos pareciam horas.

Eu olhava o celular, tentava encontrar sinal. E vi que havia sinal de GPS. Quando a gente voa hoje em dia, não usa mais as cartas de papel, mas sim as cartas eletrônicas em um tablet ou smartphone. Naquele dia, além de ter um aparelho de navegação GPS, eu tinha a carta aeronáutica no celular. E, quando o avião caiu, meu telefone ainda tinha bateria.

Eu abria essa carta para ver a região ao redor e entendia que não havia nada por perto. Nem uma cidade. Nada. Ninguém.

O que fazer? Que ações eram prioritárias naquele momento?

Decidi fazer um acampamento um pouco mais afastado do avião, em uma parte mais seca, onde havia palmeiras para cobrir um novo abrigo. E descobri uma nova aliada: folhas de sororoca, uma planta com folhas idênticas às da bananeira. Agora eu poderia me proteger da chuva.

Eu ainda não sabia, mas haveria chuva todos os dias a partir de então.

Esses primeiros dias foram de muito aprendizado. Eram coisas comuns, como saber erguer um bom abrigo, identificar o melhor lugar para pegar água, encontrar um bom galho de palmeira.

E fui melhorando meu abrigo. Comecei a colocar as folhas de palmeira no chão para não dormir no frio e não ficar com umidade no corpo o dia todo. Vi que precisava colocar talas de palmeira para melhorar a estrutura e finalizar com as folhas de sororoca. Depois, por último, eu colocava o saco de ráfia por cima para que a água escorresse pelas laterais.

Fui aprendendo a me manter na floresta durante aqueles dias intermináveis.

E assim passou o primeiro dia, depois o segundo, o terceiro, o quarto...

Nos primeiros dias a noite era mais complicada, pois eu ainda estava aprendendo a acender a fogueira. A madeira era úmida e não pegava fogo fácil.

Fui melhorando nessa arte. O princípio mais básico era pegar pequenos gravetos secos. Eu tirava os mais finos e depois ia pegando outros um pouco mais grossos, depois mais grossos, até chegar em um tamanho que eu sabia que virariam brasa. Eu colocava os mais grossos ao redor em formato de U e no meio colocava os menores gravetos para começar o fogo. Comecei usando pedaços do tecido que estavam ensopados de combustível para iniciar o fogo, e assim que pegava colocava os outros gravetos maiores. Abanava bastante até ter um fogo estável. Depois era preciso ficar cuidando e abanando, pois os gravetos e a lenha estavam sempre úmidos.

Era difícil fazer fogo, mesmo usando o tecido que eu ainda tinha. Precisava abanar bastante, e eu passava duas intermináveis horas acendendo a fogueira.

Foram dias de aprendizado.

As noites eram muito difíceis. Muitas vezes o abrigo ficava ensopado e eu sentia muito frio, por isso comecei a pegar dois sacos de ráfia e botar nos pés, usando como saco de dormir.

Tudo era tentativa e erro. Percebi que conseguia ir lidando com as situações à medida que elas se apresentavam.

O pior de tudo eram os sons da floresta. Nos primeiros dias, os ruídos da mata me assustavam muito, pareciam estar atrás das minhas costas, em cima de mim. Às vezes parecia que havia um animal à espreita, passando atrás do arbusto que me protegia. Sons distantes e indecifráveis, uma revoada de pássaros que poderia ser um aviso sobre uma onça que estava se aproximando. Naquele silêncio, qualquer ruído, por menor que fosse, parecia estar acontecendo bem ao meu lado. Era muito assustador. Mais que isso: era terrível. Eu implorava para amanhecer logo.

Tudo era muito confuso. Às vezes, quando eu estava perto de um igarapé, a superfície se mexia e parecia que um animal estava bebendo água. Eu saía do abrigo, acendia a lanterna e via que eram apenas galhos na correnteza. Muitos pássaros se aproximavam e faziam barulhos estranhos que me assustavam. Eu usava a racionalidade para tentar controlar o medo – esse era um dos maiores exercícios mentais que eu fazia para não entrar em desespero.

Você já deve ter se sentido assim: brigando com os seus medos e com tudo mais que surge na sua cabeça na escuridão da noite, quando os temores se tornam maiores e os pesadelos parecem reais, embora você saiba que está acordado. O ser humano não foi feito para estar na escuridão, mas a escuridão era tudo o que eu tinha naquele momento.

A escuridão lá fora, que me apavorava. E uma escuridão na alma.

Eu era um cara focado, com corpo e mente saudáveis. Só não sabia que meu espírito estava doente. Meu espírito estava precisando ser fortalecido. Enquanto eu não entendesse isso, a escuridão se instalaria e as noites escuras seriam cada vez mais constantes.

Não adiantava pensar na parte prática das coisas. Eu não sabia disso, mas não adiantava. Eu estava pela metade - era um ser humano composto de intelecto, músculo e ossos.

Minha sobrevivência estava pautada na necessidade de ter água, fogo e alimento. Elementos naturais que me mantivessem vivo. Só que o ser humano não vive apenas disso. Minha alma e meu espírito - ou seja lá como você queira chamar essa ligação que temos com Deus e com o que não vemos - estavam abalados.

Contudo, eu não enxergava. Na escuridão, não enxergamos tanta coisa. É como se ficássemos submersos nos compromissos diários, lutando para manter a sanidade e fazendo de conta que os fantasmas não nos assustam.

Certa vez, ouvi uma história contada por um povo nativo norte-americano. Ela dizia que nós passamos por portais e buracos ao longo da nossa trajetória de vida.

A decisão de cair em um buraco ou de atravessar um portal só depende de nós.

Se deixarmos nossa mente nos consumir com pensamentos ruins e pessimismo, cairemos facilmente no buraco. Mas, se aproveitarmos o momento de dificuldade para olhar para dentro de nós mesmos e repensar vida e morte, cuidando de nós mesmos, então cruzaremos o portal. É por isso que é necessário se conectar com o nosso lar espiritual. Precisamos ser como águias, que não perdem a dimensão, que olham tudo de cima e enxergam a amplitude do todo. E isso eu não estava fazendo.

Existe um medo que nos aterroriza quando tudo parece sair do controle. E até podemos estar preparados para atravessar fisicamente um desafio em meio à floresta, mas será que são apenas as ferramentas físicas que nos ajudam a atravessar qualquer obstáculo?

Dizem que os povos indígenas e africanos nunca param de cantar e dançar, de acender fogo e de se divertir mesmo quando estão sendo exterminados.

De nada adianta se render à impotência em um momento em que tudo parece colapsar lá fora. E só nos ajudamos quando não nos entregamos. É através da esperança que se resiste.

Sempre acreditei que precisava ser forte, e essa é uma estratégia de resistência. No xamanismo há um rito de passagem chamado "a busca da visão". Os que passam por esse rito ficam alguns dias sozinhos na floresta, sem água, sem comida, sem proteção. Quando passam por esse portal, têm uma nova visão do mundo, porque enfrentaram seus medos, suas dificuldades...

Eu só precisava aproveitar aquele tempo para buscar a minha visão.

Eu precisava resgatar a minha serenidade diante daquela tempestade.

05

O MEDO QUE NOS DEVORA

Sentir medo em situações que fogem absolutamente do nosso controle é normal, mas render-se a ele é uma escolha.

O problema é que o medo crescia a cada hora que eu enfrentava aquela situação.

Tudo de que eu tinha mais medo aflorava.

Você já deve ter passado algum período da vida em que sua mente imaginava coisas e você entrava em pânico cada vez que pensava nelas. É comum isso acontecer durante a infância, mas às vezes acontece quando já somos adultos. Os gatilhos externos, que não conseguimos controlar, nos abalam e nos deixam em uma situação de desamparo – como crianças sozinhas em uma noite escura.

Ao longo daqueles dias que passei na Amazônia sozinho, qualquer barulho, fosse o de uma folha caindo ou de um graveto sendo quebrado, coisa mais natural do mundo no meio de uma floresta, me desestabilizava e me fazia esquecer da força que tinha dentro de mim.

Logo no primeiro dia, preparei, com uns galhos que achei, uma espécie de flecha para o caso de algum bicho entrar no meu abrigo e de eu precisar lutar. Depois, consegui uma ferramenta: peguei um pedaço de pau e nele, com fio dental, amarrei a faca. Assim construí minha própria lança.

Eu sempre "dormia" com ela sobre o peito. Dormia daquele jeito: nos primeiros dias eu ficava constantemente em estado de alerta, não conseguia relaxar diante daquela escuridão imensa.

Eu tirava uns cochilos e acabava sucumbindo ao cansaço. Daí o meu instinto entrava em cena e logo eu despertava outra vez, ficava muito elétrico. Dormia melhor das seis da manhã até as oito. Era quando eu conseguia adormecer de verdade. O sol começava a nascer, o que me deixava mais tranquilo, os ruídos diminuíam e eu conseguia relaxar mais. Sentia medo de algo aparecer e me pegar desprevenido. Felizmente nenhum dos animais que eu mais temia apareceu, mas eu acordava com insetos em cima de mim.

Eu ouvia barulhos de pássaros desconhecidos e ruídos que nunca tinha escutado. Passei a observar e a associar durante o dia os barulhos que ouvia à noite. Com o tempo, fui identificando que muitos daqueles sons eram de aves, folhas caindo, macacos, e isso me ajudou a ignorá-los.

Só que no fundo não dava para ter certeza do que realmente estava por perto. Meu raciocínio naquela altura era: "Se desde o primeiro dia tem essa barulheira e nada aconteceu até agora, nada vai acontecer". Eu me adaptava à floresta e começava a fazer parte dela, deixando de ser um estranho ali dentro, um intruso.

Os medos da noite são nossos medos mais profundos. Imagine-se à deriva na mata fechada, no meio da escuridão, com frio e sozinho, ouvindo barulhos que fazem você imaginar que uma onça está prestes a atacar.

A primeira coisa que vem é o medo do subconsciente, e aquilo de que você tem mais medo é o que você vai ouvir. Nesses momentos, eu enfrentei os meus temores mais escondidos, aqueles que nos devoram.

Eu tentava identificar o que ouvia, racionalizar em vez de me entregar ao pânico e de alimentar aquele sentimento. Os pensamentos não paravam nunca, mas era questão de vida ou morte manter a sanidade, ter controle sobre a única coisa que eu era capaz de controlar: a mim mesmo. Foi assim que encontrei um modo de sentir certa calma e de não me desesperar diante de tudo. Teria sido bem mais fácil ceder ao terror e à exaustão, mas eu sempre lembrava a mim mesmo de que a única chance de sair dali era sendo racional.

Foi um período de aprendizado valioso. Não me canso de repetir isso porque, dia após dia, fui adquirindo uma consciência cada vez maior de quais eram os perigos reais, das coisas que eu realmente tinha que temer e me preparar para um eventual confronto, e dos imaginários, aqueles que nos fazem sofrer por antecipação e nos impedem de enxergar além. É difícil ter discernimento quando a sua mente quer deixar você em estado de alerta, quase pregando uma peça em você.

Todo mundo tem traumas, seus próprios temores, coisas que talvez nem nós mesmos consigamos identificar, mas que em momentos de estresse ou situações extremas vêm à tona e parecem nos dominar. Nessas horas é preciso parar, respirar e observar se o que estamos sentindo tem algum fundamento racional ou se é puro pânico.

Já mencionei aqui que minhas maiores preocupações no início foram lidar com a escuridão e com os ruídos da floresta. Ao mesmo tempo, eu sabia que precisava garantir a minha sobrevivência também.

Eu ainda tinha água, latas de refrigerante e pães, mas comia só meio pão por dia e deixava o refrigerante para tomar a cada dois ou três dias. Água eu bebia muito pouco.

Conforme o pão começou a ficar embolorado, mole e ruim, eu o comia com água do igarapé. Foi o jeito de engolir aquilo e de me alimentar. Era uma massa estranha e muito difícil de engolir, mas era o carboidrato que eu tinha. Eu olhava para o pacote e calculava quanto tempo mais sobreviveria com aqueles suprimentos.

Quando eu dormia, tinha sonhos que pareciam mais reais do que o que eu estava vivendo. Parecia que, quanto mais cansado eu estava, mais rapidamente entrava em sono REM, aquele no qual você apaga de vez.

Durante esses sonhos, que pareciam muito verdadeiros, sempre surgia um amigo aleatório e cada um deles parecia estar tentando me ajudar de alguma forma.

“Vocês não estão no mesmo lugar que eu”, eu dizia. E a gente conversava e conversava. Até que eu pedia: “Me dá um pouco de comida". E quando, no sonho, eu pegava a comida mas não conseguia levar à boca.

Era assustador.

No quinto dia após o acidente, aviões da Força Aérea passaram por cima de mim pela primeira vez. Senti um calor no peito: eu seria encontrado! O resgate estava próximo!

Eu ouvia ao longe e sabia que estavam fazendo uma varredura na rota, que havia equipes à minha procura. Eu conhecia os procedimentos. Tinha certeza de que eles, em algum momento, sobrevoariam o lugar onde eu estava, e naquele dia eles passaram exatamente em cima de mim. O problema é que estavam voando bem alto e era difícil visualizar a clareira.

Eu pegava os sacos de ráfia, acenava e nada.

Os aviões passaram uma, duas vezes, e não retornaram.

Ver aquelas aeronaves indo embora era como sentir minha esperança partindo...

Talvez você já tenha passado por uma situação em que a solução parecia estar muito perto de você, mas escapou de suas mãos num piscar de olhos.

Os aviões não retornaram.

Nos dias que se seguiram, eu ouvia os aviões cada vez mais longe. As buscas estavam concentradas em outro lugar. Aparentemente não havia nada que eu pudesse fazer.

Existe uma história que diz que, sempre que passamos por uma fase difícil que pode nos levar à iluminação, entramos em uma sala com mil demônios. Esses demônios representam cada um dos nossos medos – e vão nos apavorando até nos darmos conta de que são apenas criações da nossa mente e não correspondem à realidade.

Conforme vamos avançando, e entendendo cada um deles – que são mais internos do que externos –, vamos tomando consciência e adquirindo força para lidar com as dificuldades que se apresentam em nossa vida.

Um dos maiores medos que eu tinha era de que o resgate não me encontrasse. E eles ficavam cada vez mais longe. Esse era um medo real com o qual eu tinha que lidar naquele momento. Medo de ficar ali esquecido indefinidamente. Medo de nunca ser resgatado.

Eles não retornaram, e eu entendi que precisava fazer alguma coisa. Essas viradas de chave são fundamentais para que possamos entender a nossa existência. Enquanto esperamos que alguém de fora nos socorra, ficamos esperançosos, sim, mas ao mesmo tempo relegamos o poder a algo fora de nós.

Como se algum fator externo possa nos socorrer.

Só que na vida não é assim que funciona. Para resgatar a nossa própria força, precisamos encontrar os recursos que temos dentro de nós. A questão é que só os encontramos quando mais nada lá fora parece estar a nosso favor.

Não sei bem expressar isso em palavras, mas sei o que senti, sei o que aconteceu comigo quando me dei conta de que a minha chance de ser resgatado estava indo embora. Naquele momento doloroso, de pavor, eu soube que não poderia deixar minha essência ser devorada. Entendi que precisava salvar a mim mesmo. Eu precisava buscar dentro de mim a força que rege a minha vida, e compreendi de uma vez por todas que sair vivo da Amazônia só dependia de mim.

Agora, enquanto escrevo, percebo como aquela experiência foi profunda. Durante os dias perdido na mata eu não tinha consciência de nada; consigo agora ver com clareza como ainda estava completamente inconsciente de tudo.

Embora o Antonio racional estivesse preparado – corpo e mente afiados para lidar com quaisquer eventualidades –, ainda faltava uma peça do quebra-cabeça a ser encaixada. Uma peça fundamental que a minha racionalidade não me permitia enxergar.

Comecei a olhar para o mapa, para a carta aeronáutica e tentei criar um plano: um plano bem elaborado abrangendo tudo de que eu achava que precisava naquele momento.

06

A IMPOTÊNCIA

Quando percebi que as aeronaves que faziam as buscas não voltariam, que as equipes já tinham feito a varredura nos arredores de onde eu estava e que provavelmente estavam percorrendo outras áreas, perdi as esperanças. Era como se eu não tivesse mais a que recorrer. Só sabia que precisava fazer algo. Tomei essa decisão por volta das onze da manhã do meu quinto dia na floresta. Às três da tarde, decidi que entraria na mata fechada.

Comecei a caminhada convicto de que conseguiria fazer o que deveria ser feito. Decidi seguir rumo ao sul, voltando para o local de onde eu havia decolado. Peguei minhas coisas, apenas o necessário para a caminhada, abandonei o abrigo e parti, confiante de que tinha um bom plano e as ferramentas necessárias para isso.

Só que, na prática, não foi exatamente assim que as coisas aconteceram. Logo de cara me vi em uma área muito difícil de atravessar, cheia de vales, com árvores não tão altas, envoltas em um emaranhado de cipós. Fraco, sem perspectivas, durante mais ou menos meia hora me esforcei para cortar os cipós, tentando abrir caminho.

Durante trinta minutos, investi toda a minha energia tentando fazer algo que parecia impossível.

E de nada adiantou.

Voltei para o meu abrigo. Derrotado. Era um sentimento de frustração e impotência que jamais tinha me visitado. A maior fraqueza que já tinha sentido em toda a minha vida. A esperança parecia ter ido embora, e eu me via sem recursos, sem alternativas, sem absolutamente ninguém e nada a que recorrer.

Completamente exausto, sujo, desidratado, mergulhei na parte mais funda do igarapé para me lavar e esfriar o corpo e a mente.

E fiquei pensando: "Não dá pra sair daqui".

Essa frase ecoava na minha cabeça.

Tirei a camisa e a estendi para secar. Estava fraco e nunca havia experimentado tamanha sensação de impotência. Derrotado pela situação, pela floresta. Derrotado emocionalmente e mentalmente. Aquela meia hora foi muito marcante para mim. Nada do que eu tinha previsto havia acontecido.

Voltei para o meu abrigo tomado pelos mais diversos sentimentos ruins e percebi que havia a possibilidade real de não sair mais dali. Pela primeira vez pensei na morte, me imaginei morrendo naquele lugar. Liguei o celular e gravei um vídeo de despedida para minha família, uma coisa que nunca tinha pensado em fazer: dizer adeus para as pessoas que mais amo. Era o fundo do poço pensar na minha mãe, nos meus irmãos e admitir que nunca mais os veria. Ter a consciência de que tinha perdido tudo e agora só me restava perder minha própria vida.

Não foi fácil, mas agora consigo perceber quão fundo tive de ir para despertar. Foi o gatilho para eu me apropriar da minha capacidade de encontrar a força em Deus, de olhar para a luz em vez de entrar nas trevas do meu pensamento e esperar passiva e friamente pelo fim.

Naquele momento, eu me sentia tão derrotado que toda a certeza que eu tinha sobre a minha inteligência e capacidade havia acabado. Sem isso, qual era a minha chance de sair dali? Eu tinha tentado e não havia sido capaz de vencer os obstáculos.

Na gravação, falei para minha família que não sabia o que ia acontecer, não sabia se eles encontrariam aquele vídeo, mas que eu os amava demais e não estava conseguindo sair da floresta.

Estas foram as minhas palavras:

Eu saí da área do acidente para caminhar até Alenquer e achar uma fazenda ou algo do tipo, mas foi impossível.

A mata é muito fechada, eu não tenho ferramenta suficiente, então eu decidi ficar aqui até quando alguém achar este avião.

Vou tentar me manter vivo por esse tempo. Não sei quanto tempo vai levar.

Mãe, te amo muito. Muito, muito.

Eu quero te dar um abraço de novo e um beijo, e confio em Deus para isso.

Pedrinho, você é um anjo na minha vida. Tô morrendo de saudade de vocês.

Mano, não sei nem o que dizer. Você é foda. Te amo muito. Mariana, te amo muito.

Ingrid, te amo muito. Saudade de estar ao seu lado.

Amo vocês todos, do fundo do meu coração.

—

Aponte a câmera do seu celular para este QR code e assista ao vídeo que gravei, quando estava na floresta, para me despedir da minha família.

O amor deles me nutria, e eu disse a cada um deles o que sentia naquele momento. Depois, simplesmente desliguei a câmera. Era como estar no leito de morte e se despedir da sua família. Era se despedir e remoer tudo aquilo. E não saía da minha mente a ideia de que, para chegar a esse ponto de desapego, você precisa estar em um momento de desespero muito forte.

Ainda bem que foi só um momento!

A impotência diante do inesperado é o sentimento mais desgastante e paralisante que existe. É quando já esgotamos todas as possibilidades que conhecemos, nossas habilidades físicas e emocionais; é quando usamos a mente e o corpo até a exaustão.

Nada dava certo ali.

Eu ainda não sabia que aquele momento queria me mostrar algo. Era um monstro, mas anunciava uma mudança importante. A impotência me daria uma chave para acessar algo que eu nem sabia que podia conectar. Era uma transição importante.

Eu tinha voado no céu, sobre as nuvens. Tinha caído. Tinha usado corpo e mente para sobreviver a algo completamente inesperado e estava enfrentando os meus maiores medos enquanto tentava me manter são.

A impotência me mostrava que eu não era capaz, que sozinho eu não conseguiria sair dali.

Mas quem poderia me resgatar? As equipes não rondavam mais a região, meus familiares talvez acreditassem que eu não estava mais vivo e eu não conseguia sequer entrar na mata fechada para seguir adiante, para tentar buscar ajuda.

O que fazer diante daquela situação?

Paralisado, prestes a entregar os pontos, comecei a questionar Deus sobre por que aquilo acontecia comigo. Eu não achava justo. Percebi então que era a primeira vez que eu conversava com Ele. Deus não tinha sido mencionado quando eu caí do avião e saí dele com vida. Nem quando saí da aeronave antes de ela explodir. Deus não tinha sido lembrado quando o milagre de eu estar vivo se fez presente. E por que eu estava ali, questionando Deus? Por que eu estava exigindo Dele uma explicação sobre o porquê de tudo? Por que justo comigo?

Meu lado racional, o do piloto, sabia que sobreviver a uma queda de avião no meio da floresta, em uma mata fechada, era um milagre. Mesmo sendo o meio de transporte mais seguro do mundo, quantas milhares de pessoas já morreram em acidentes aéreos? Foram poucas as que se salvaram.

Por que eu era mais um nessa lista dos sobreviventes?

Por que eu tinha sido abençoado com o milagre da vida após uma queda de avião e agora Ele me deixaria morrer sozinho em uma floresta?

O que eu tinha feito para merecer uma morte tão lenta e difícil? Por que Ele não tinha deixado que eu morresse de uma vez durante a queda, ou então durante o incêndio?

Percebi que não conversava com Deus fazia muito tempo. Primeiro veio o sentimento de que eu estava sofrendo uma injustiça, mas logo em seguida entendi o motivo de aquela conversa não ter acontecido mais cedo.

Tinha chegado a hora de lavar a roupa suja com Deus.

07

PLENITUDE

Eu tinha dezenove anos quando meu pai sofreu um acidente de moto e foi hospitalizado. Nessa época eu morava em Brasília, minha irmã vivia em Manaus, e meu irmão, nos Estados Unidos. Meu pai foi socorrido e encaminhado diretamente para a UTI. Na hora em que fiquei sabendo, imediatamente me apeguei a Deus.

Implorei a Ele que me deixasse chegar a tempo de encontrar meu pai. Implorei como nunca havia implorado por nada em toda a minha vida.

Levei um dia e meio para chegar a Santarém, e a cada minuto que passava eu pedia que houvesse tempo de chegar e vê-lo com vida. Quando enfim cheguei, me informaram que o horário permitido para visitas era no fim da tarde.

Foi então que recebi a notícia de que ele tinha falecido. Fiquei atordoado, desconsolado. Eu não pude me despedir do meu pai, e isso deixou uma marca profunda na minha alma, destruiu a minha fé. Daquele dia em diante, parei de acreditar que Ele poderia me ajudar. Daquele dia em diante, mesmo tendo sido criado em um lar cristão, a minha fé se quebrou de tal modo que deixei de ser completo. Somos todos constituídos por corpo, mente e espírito, e naquele dia meu espírito foi estilhaçado.

Passei a ser uma pessoa com corpo e mente apenas. Um homem racional, intransigente e talvez indiferente aos acontecimentos exteriores. Às vezes as pessoas vinham me contar algo e eu dava uma resposta racional ao extremo. Eu acabava sendo chamado de insensível, e com razão.

É claro que ter sangue frio me ajudou bastante na vida profissional, uma vez que um piloto precisa ser decidido, ser pragmático.

No entanto, eu não conseguia mais ter sensibilidade para algumas coisas.

Deve ter ficado claro para você o quanto precisei me desarmar para começar aquela conversa tão significativa. Para estabelecer aquela conexão novamente. Colocar as cartas na mesa, dizer exatamente quando, onde e por que aquilo tudo tinha se quebrado.

"Deus, tu sabe o momento em que a gente se afastou."

A conversa era importante, necessária, porque, antes de pedir qualquer coisa, antes de conversar com alguém com quem não falamos há muito tempo, com alguém que ignoramos por um tempo, precisamos baixar a guarda e mostrar nossas fraquezas. Expor na carne o que nos destruiu, contar como nos sentimos de verdade.

E eu me via sozinho, tão sozinho que nada mais parecia fazer sentido. Era como se eu não pudesse mais contar com quem eu achava que me amparava.

Com humildade, fechei os olhos, deixei as lágrimas escorrerem e pedi com todo o meu coração que Ele me ouvisse. Porque era eu quem tinha deixado de escutá-Lo.

"Deus, tu sabe que foi esse o momento que fez eu me afastar de Ti."

Havia sido o pior momento da minha vida, que se tornara uma cicatriz. Fora uma perda dupla: eu havia perdido meu pai e a minha fé em Deus.

Falar com Ele de novo tantos anos depois não era como conversar com um estranho. Ao me ajoelhar, pude entender o quanto eu estava fraco, o quanto estava errado, o quanto era limitado nesta minha existência terrena. E, principalmente, o quanto eu precisava Dele.

"Deus, Tu sabe que foi esse momento. E, se for da Tua vontade agora, que eu saia daqui e possa ver a minha família de novo."

Com humildade, expondo a minha fraqueza e a minha maior cicatriz, meu maior defeito, minha impotência, entreguei todos os meus medos na mão Dele e comecei a lavação de roupa suja com Deus, como se estivesse conversando com um amigo com quem tivesse brigado.

Aos poucos, visitei sentimentos profundos que estavam guardados em mim. Pensar na morte do meu pai me abriu para isso. Eu estava sem forças.

"Como vou morrer aqui, meu Pai? Se eu for morrer de fome, vai levar semanas e eu não quero ter esse tipo de sofrimento."

"Deus, se for para morrer aqui, manda uma onça e eu nem vou mais lutar. Eu boto a faca do lado e deixo ela me atacar e me levar."

Conforme falava, com o coração aberto, desarmado, eu ia me lembrando dos parentes que já tinham partido:

"Me leva para o lado do meu pai. Me leva, só não me deixa sofrer aqui."

A sensação de preferir morrer a estar ali era tão forte que isso foi abrindo uma nova cortina. Era uma conversa profunda. Eu estava abalado. Estava clamando a Deus que me ouvisse, que me perdoasse, que estivesse comigo.

Até que, em determinado momento, no limiar da dor causada pela impotência, pedi com todas as forças: "Meu Deus, eu não quero morrer aqui. Tudo o que eu quero é ver minha família, poder me sentar com a minha mãe e ver ela preparar aquele almoço gostoso, conversar com meus irmãos, rir com eles novamente".

E, de repente, em vez de andar pelo vale da morte, pedindo que uma onça me devorasse e que a morte viesse sem que eu sofresse muito, comecei a clamar pela vida.

Comecei a pedir que Ele não me deixasse morrer ali.

"Tu conhece meu coração, Tu sabes o dia em que parei de confiar em Ti, em que perdi a minha fé.

E eu preciso dela de novo...

Sozinho eu não vou conseguir...

Sozinho eu não consigo...

Me devolve a minha fé...
Me devolve o meu espírito, porque sozinho eu não consigo sair daqui.
Eu já tentei.
Esta floresta já me derrubou.
Me devolve a minha fé..."

Reconheci Sua força e entendi que precisava Dele para ir adiante. Reconheci que precisava da fé para voltar a viver de verdade. Em segundos, as lágrimas, que vinham do fundo do meu coração, pararam de jorrar. Era como se a mão Dele tocasse o meu peito e aliviasse a dor.

Ele respondeu. Misericordioso, como um pai que perdoa um filho, Ele simplesmente me devolveu a fé. Eu não precisava me esforçar para ter a fé de volta. Só precisava abrir meu coração. Porque Ele conhece o nosso coração, não adianta tentar esconder.

Quando você pede mas não revela o motivo, não mostra de verdade por que perdeu sua fé, não está sendo sincero. Não está se conectando realmente com Deus. Ele conhece tudo o que há de mais íntimo em sua alma.

Para conversar com Ele é necessário primeiro tirar as mágoas do seu coração. É preciso revelar o que fez você sair do caminho. É preciso entender de que maneira as coisas aconteceram e por qual motivo você e Ele ficaram tão distantes.

Daquele momento em diante tudo mudou. Foi como se tivessem me dado um brinquedo novo. Eu só queria brincar com a minha fé, com o meu espírito. Eu me sentia consertado, completo: mente, conhecimento, corpo. Sem qualquer mudança do lado de fora, mas, espiritualmente, repleto de forças.

Era difícil porque dizia respeito à dor espiritual, emocional, e esse tipo de sofrimento nos faz amargar e sentir de um jeito que só quem passa por isso sabe. Não era uma dor física. Apenas Deus e eu conhecíamos aquela aflição. Ninguém via. Não era uma ferida exposta na carne, mas você precisa falar para Ele. E com um arrependimento puro e sincero trazer tudo à tona. Se não for assim, você não consegue romper essa barreira, esse limite que a psique nos impõe. Algumas pessoas conseguem fazer isso de outras maneiras. Eu consegui por intermédio de Deus e, para mim, foi a melhor forma.

Eu sairia daquela floresta, mas somente com a força física não seria possível.

Com a minha fé de volta, com meu espírito renovado, pude romper essa barreira entre o plano em que vivemos e enxergar meu caminho pelo plano sobrenatural de Deus. Consegui ter acesso a esse portal, e me entreguei à certeza de que eu sairia daquela floresta.

Passei a noite agradecendo a Deus.

Aquele reencontro era o ponto de partida rumo a uma nova jornada.

Eu estava completo.

08

A NOVA BÚSSOLA

Durante toda a nossa existência, experimentamos dores, mas, quando nos redimimos com Deus, marchamos sob as maiores tempestades. Ganhamos coragem, como se a fé nos vestisse com uma armadura para que atravessemos um caminho cheio de espinhos.

As lutas, os sofrimentos e o suor parecem ser os mesmos, porém a indispensável presença do amor e da fé em nosso coração reveste a nossa alma e nos completa. Eu não era um homem completo até então. Era apenas um homem com corpo e mente.

Resgatar minha fé em Deus preencheu meu espírito e o fortaleceu.

Naquele momento, qualquer que fosse a vontade de Deus, ela ia prevalecer. Eu me coloquei como Seu instrumento.

Durante a nossa conversa, minha alma me mostrou que, durante tanto tempo, eu tinha sido escravo da mente e dos desejos do corpo, buscando dinheiro, sucesso, bens materiais, prazeres. Enquanto o meu espírito não fosse preenchido por Deus, eu só sentiria um vazio que nada no mundo satisfaz. E eu não tinha consciência disso ainda.

Aqueles poucos dias serviram para me ensinar, para eu enxergar que ter sobrevivido ao acidente aéreo havia sido um grande milagre. Uma mão divina intercedera naquele vale com açaizeiros.

Eu era frágil. Sozinho, não teria conseguido entrar na floresta. Não teria conseguido sequer ter forças para iluminar a mim mesmo, minha mente. Com Deus, eu atravessava um portal, como se tivesse sido abençoado. Como se Ele tivesse olhado para a minha aflição, para o meu clamor e respondido com sua sagrada misericórdia.

Aquela conversa lavou minha alma. Refrigerado, aliviado, esclarecido, elevado... Percebi quão orgulhoso e arrogante eu fora até então, ignorando a presença divina na minha vida.

Não era Ele que precisava que eu olhasse novamente em Sua direção, porque havia me dado todas as oportunidades de renovação.

Você pode estar se perguntando que tipo de milagre aconteceu naquela noite. Eu explico.

Quando abrimos o coração, rasgamos toda a verdade, levamos a Deus com sinceridade tudo aquilo que escondemos há tanto tempo e clamamos por fé, Ele acende novamente a chama da nossa vida. E nos faz conhecer Seu amor.

Em geral nos interessamos por tudo o que diz respeito à existência física, mas descuidamos da vida espiritual. Ficamos sobrecarregados com vícios e inquietações de toda espécie, e nossa vida fica mecânica. Tudo se resume a pensar e a agir. Não sentimos. Não nos conectamos com a força mais amorosa que pode nos mover. Ficamos reduzidos à mente, repletos de preocupações, com medo e sem paz de espírito.

Quando recorremos à fé, sedentos dessa paz espiritual, é como se acessássemos uma bússola, como se nos renovássemos, e essa conversa com Deus é capaz de nos ajudar a descobrir o valor da humildade, aliviando, esclarecendo e exaltando tudo o que realmente é fundamental nesta vida.

Uma prece pode nos trazer inspiração, sopros divinos, proporcionar uma visão nova de tudo o que nos cerca. Nos dias de luta, quando não temos mais forças e nos rendemos a Ele, experimentamos algo novo.

Eu tinha passado muito tempo sem me conectar com essa fonte. Sem me alegrar, sem sentir nada no espírito.

No tormento da alma, no meio de um sentimento que não damos conta de sustentar e que nos coloca em meio às trevas, plasmando fantasmas em uma noite escura, não somos capazes de nos conectar com Ele. Não é fácil rasgar todos os véus da nossa mente. Eles nos assombram e não permitem que enxerguemos além do que está à nossa frente.

Essa transformação pela qual passei durante minha noite escura da alma e que regenerou meu espírito, mostrando que minha peregrinação espiritual estava apenas começando e que a minha fé seria testada de todas as formas, modificou a forma como eu encarava as coisas ao meu redor.

Era como se até aquele momento eu estivesse dormindo, inconsciente, e enfim tivesse despertado. Como se um entendimento maior tivesse me resgatado das profundezas da ignorância. Minha alma estava desperta, e, embora ainda fosse indispensável nutrir muita força de vontade para afastar as sombras da minha mente, eu sabia que iria me reerguer.

Eu podia ter apenas alguns pães, mas a fé me nutriria.

Eu podia estar com sede, mas a fé me sustentaria de pé.

Eu podia estar com dor, mas a fé seria o meu alento.

Se nos algemamos ao medo e não permitimos que o coração enxergue as belezas da vida, não somos capazes de ir além dos nossos próprios limites. Para ter bom ânimo diante dos desafios, diante do medo, da luta diária – e olha que eu estava sentindo falta da rotina –, o superpoder que nos move é esse alimento divino.

Não bastava ser engenhoso nem sagaz. A verdadeira clareza viria da luz espiritual.

Eu me coloquei na postura de aprendiz. Tinha a necessidade de aprender.

Nenhum ser humano é completo se não estiver pleno na tríade corpo, mente e espírito. E de que forma eu teria esperança se não estivesse conectado à minha fé? Como enfrentaria a dor, o medo e aquela situação extrema sem essa luz interna?

O verdadeiro combate exige, antes de mais nada, a vitória do espírito, depois, a perseverança.

Depois de tanta angústia, tinha chegado a hora de confiar. Confiar naquela ferramenta, naquele novo brinquedo chamado fé. De coração purificado, renovado, e entendendo que a fé seria minha nova bússola, eu soube também que ela seria a asa que me conduziria para cima. Restaurado, era como se eu tivesse um escudo e fosse capaz de me defender dos golpes que viriam.

As tribulações da alma tinham dado espaço a uma nova luz.

09

CAMINHANDO RUMO AO SOL

Depois que fiz as pazes com Deus, tudo mudou. Antes de tudo, é fundamental entender que Ele pode e vai nos ajudar, porém, não podemos ficar parados, esperando que Ele caminhe por nós.

Eu já estava no meu sétimo dia na floresta. Olhei para o céu e pedi uma direção... o que eu devia fazer? Sabia quantos pães restavam, sabia como fazer a melhor barraca, mas ainda não sabia para onde caminhar.

Decidi, então, caminhar para o leste.

Eu também sabia de algo muito importante: a carta aeronáutica que eu tinha no celular (a essa altura com 15% de bateria) me mostrava que no leste existiam pistas de pouso que poderiam ser antigas, e isso provava que houve ou que haveria alguma atividade humana por ali, o que me dava uma grande esperança.

Já falei aqui que a esperança não pode ficar de fora. Pois é, eu caminhava com ela e com a minha fé.

Os igarapés não me davam apenas água corrente; eles indicavam caminhos. Este era meu plano: caminhar seguindo o sol, rumo ao leste. Eu precisava ver o sol, mas não tinha referência. Muitas pessoas que se perdem na floresta acabam andando em círculos porque não buscam um referencial externo e não seguem uma direção precisa. É muito interessante traçar um paralelo com a nossa vida... quantas vezes caminhamos nas trevas, sem olhar para a luz que pode nos guiar? Em vez de deixarmos a luz divina nos direcionar?

Caminhar seguindo o sol.

Quantas vezes você caminhou na sua vida sem direção...

Quantas vezes caminhou sem saber para onde ir...

Nessas horas, podemos nos guiar pela intuição ou pelo que está dentro de nós e nos diz o que fazer.

Eu sabia que meu plano precisava ser executado e que, para isso, eu precisava da minha força física, mas, sobretudo, da força espiritual. Embora eu não tivesse comida, eu tinha o amor pela minha família, e era a vontade de encontrá-los novamente que me fazia seguir adiante, que obrigava minhas pernas a continuarem caminhando.

O sol era o meu guia, e tinha que estar sempre à minha frente. Eu tinha de caminhar até uma hora da tarde, no máximo até as duas. Depois desse horário, já não era tão confiável.

Com o plano definido, veio o primeiro desafio daquele novo momento: a dificuldade de sair de onde eu estava, que foi muito grande! A mata era extremamente fechada, e os cipós pareciam maiores do que eu. Fiquei todo arranhado. Mas precisei entender que havia chegado a hora de me acostumar com aquilo se quisesse contar esta história. Nada me faria desistir, e nenhuma condição adversa me faria dar um passo para trás.

Depois de uma caminhada intensa e muito difícil, encontrei uma área mais aberta, que poderia ser percorrida com mais facilidade. Subi e desci cerca de três serras e caminhei cerca de cinco horas sem parar.

Nessa primeira caminhada, percebi que durante a tarde era mais difícil manter o sol como referência, o que acabava fazendo com que eu não soubesse se estava indo para o lado certo.

Era o momento de parar.

Durante a execução de um plano, é imprescindível nos adaptarmos aos imprevistos. Se ficarmos presos ao roteiro que elaboramos, quando ele não dá certo corremos o risco de bater a cabeça sempre no mesmo lugar. Às vezes somos teimosos e não percebemos que não vai dar certo, que é necessário recalcular a rota. Recalcular a rota exige humildade. E não há problema algum nisso. Na verdade, é uma questão de inteligência.

Foi assim que eu fui descobrindo a mata.

Não importava a dificuldade que encontrasse, agora eu sabia, tinha certeza de que não ia voltar atrás. Os aviões estavam longe e não me procuravam mais. Depois que deixei o abrigo, nunca mais dei um passo para trás. A leste a floresta ia se mostrando ainda mais temível, e os desafios dentro dela eram inúmeros, só que os que eu tinha dentro de mim eram ainda maiores. Eu sentia muita dor, e minha barriga doía demais.

O que aconteceu foi que, depois de oito dias parado, naquele momento eu estava gastando muita energia de uma só vez. Percebi que estava ficando cansado, mas demorei para diminuir o ritmo. Parei no alto de uma serra e de repente minhas pernas travaram, as mãos ficaram dormentes... Hipoglicemia. A taxa de açúcar no meu sangue estava muito baixa porque eu estava sem comer e tinha caminhado durante muito tempo.

Precisei me sentar, respirar e tudo escureceu.

Não sei por quanto tempo fiquei desmaiado, mas, quando acordei, percebi que estava na mesma posição.

Então vi o refrigerante fechado. Era a minha última lata.

"Preciso tomar este refrigerante", foi o que pensei.

Abri e tomei de uma só vez. A sensação era de que eu voltava para o meu corpo: fui melhorando aos poucos, embora a sensação ainda fosse muito ruim.

Resolvi construir um abrigo – e meu objetivo ali era apenas descansar um pouco porque, além de fraco, eu estava exausto. E, embora estivesse muito fraco, precisava também de uma fogueira. Levei três horas para fazer ambos. Se você acha que foi fácil, bem, pense que para cada fogueira era necessário encontrar as madeiras certas e, de preferência, elas tinham de estar secas (na floresta mais úmida do mundo).

Foi quando minha certeza deu lugar à dúvida.

Eu não sabia o que Deus queria de mim, se queria que eu poupasse energia ou que soubesse administrar a minha energia. Não gastar tudo de uma vez... seria esse o segredo? Aquele dia parado tinha sido horrível. Para mim, era tempo que eu estava perdendo.

Quantas vezes na sua vida você não tentou caminhar quando seu corpo dizia que precisava de descanso? Quantas vezes não tentou ir além dos próprios limites e ignorou os sinais de que havia algo a ser considerado?

Uma das coisas que percebi durante minha caminhada de trinta dias foi que eu precisava ouvir os sinais externos, e, principalmente, os sinais que o meu corpo dava, já que era o veículo que me transportava.

Foi um tempo de aprendizado.

Entendi quais eram – e são – os meus limites, e conhecê-los requer muita humildade, porque não se trata do que achamos que podemos aguentar: é o nosso limite real que precisamos admitir e encarar.

Após dois dias de descanso, decidi retomar a caminhada. Respeitar meu corpo naquela jornada também era fundamental.

Quando voltei a andar pela mata, meu plano já estava mais bem estabelecido na mente, e isso me fez prosseguir com mais segurança e também com mais estratégia.

Passos firmes. Nem tão rápido nem tão devagar.

As chuvas frequentes deixam as encostas das serras bastante lisas, e era muito fácil escorregar durante a caminhada. Meu maior medo era o de quebrar a perna. Eu não podia deixar isso acontecer, caso contrário não teria mais o que fazer. Seria o fim da linha para mim.

Eu caminhava entre duas e quatro horas por dia.

Nesse momento, é impossível não lembrar de um filme que eu sempre gostei: *Procurando Nemo*. Dory, a peixinha, sempre dizia: "Continue a nadar, continue a nadar...".

Brincadeiras à parte, eu sabia que tinha que continuar a andar.

A vida é feita de altos e baixos, e entender essa dinâmica me fez continuar com meu plano, passo após passo, com sabedoria e resiliência.

Na dúvida, continue a nadar.

10

CADA UM CARREGA SUA CRUZ COMO PODE

Uma das mais valiosas lições que podemos aprender com Jesus diz respeito a carregarmos nossa própria cruz.

Ao longo de todos aqueles dias, mesmo enquanto caminhava sentindo fome, dor, cheio de arranhões e com o corpo repleto de picadas de insetos, ainda assim não poderia reclamar.

Eu estava vivo, e isso era uma grande vitória!

Eu não poderia esquecer o milagre de ter sobrevivido a um acidente aéreo. Não poderia esquecer que estava sobrevivendo na floresta. Se não considerasse tudo isso um grande milagre, estaria sendo indigno da bênção que estava recebendo.

Todos precisamos diariamente olhar para os milagres que nos cercam. Caso contrário, observamos apenas o que falta. Temos que aprender a reconhecer e a valorizar cada uma de nossas pequenas vitórias. Em alguns dias, só pensamos na dor, mas isso nos impede de contemplar as belezas que Deus nos traz.

Quantas vezes você acorda de manhã e não consegue sair do lugar porque fica apenas ruminando as coisas ruins? Você precisa estar atento e firme para tudo o que vem de Deus e começar a abrir a mente para as oportunidades que podem surgir, que você pode criar.

Todo dia um milagre pode bater à sua porta, mas, se você insistir em olhar apenas para o que há de ruim, para o que pode não dar certo - sem nem ao menos tentar -, ficará dentro de um vale sombrio.

Com isso no coração, eu tinha determinado que minha meta era caminhar no mínimo duas horas por dia. Eu precisava entender que, durante essa caminhada, teria de manter a mente focada e carregar a minha cruz naquele momento: as dores e a fome.

As nuvens podem ser passageiras nos dias nublados: eu sabia disso.

Eu não media a distância que percorria, mas calculava o tempo e excluía dele o período em que tinha ficado parado esperando o sol. Muitas vezes eu me deparava com vales, e vou te dizer uma coisa: é muito difícil ver o sol quando você está nos vales, porque eles são escuros e fechados, mas eu precisava confiar que o sol continuava lá.

Se você parar para pensar, a nossa vida é assim: cheia de serras e vales!

Você passa por uma serra e está no alto, vendo o horizonte. Então, de repente, surge um vale e você precisa de força para subi-lo e ver o sol e acreditar que será capaz de fazer isso, enxergando o lado bom das coisas.

Os vales eram a parte mais difícil durante toda a caminhada. E era neles que existia a maior probabilidade de encontrar animais perigosos, áreas alagadas, cipós. Eles eram a preocupação maior, mas era também neles que havia a possibilidade de encontrar árvores frutíferas e água potável, e não era pouca coisa nas circunstâncias em que eu me encontrava.

Tudo ficou tão relativo para mim naquele momento.

Nos vales podemos recuperar as forças. Depois vêm as serras.

Só conseguimos ver o horizonte durante a caminhada quando alcançamos o topo de uma serra. Nos vales, onde o mais difícil acontece, temos que colocar em prática o plano que traçamos. Temos que aproveitar a parte boa da vida para planejar nossa caminhada, mesmo sabendo que lá na frente pode surgir algum revés. E temos que nos preparar com otimismo, sim, mas com racionalidade.

Quando avistava um vale muito grande, eu deduzia muitas coisas: sabia que existiriam igarapés e rios. Se houvesse uma serra à frente, eu veria o horizonte e poderia me planejar melhor, observar a direção para onde eu caminharia e chegaria, enfim, a algum lugar.

É muito tentador parar para reclamar quando estamos diante de dificuldades que parecem bloquear o nosso desenvolvimento, mas elas talvez sejam provas para que a nossa perseverança seja testada e para podermos usar os recursos e as ferramentas que já possuímos.

É hora de nos responsabilizarmos pelas circunstâncias da vida.

Quando você estiver com medo, entenda que a escuridão não vai te acompanhar para sempre. Talvez este momento sirva para que você confie e acredite que existe uma subida e que, para chegar ao topo, você precisa se empenhar para atravessar esse caminho. Não é o mais fácil nem o mais simples, mas é isso que o fará superar a si mesmo e perceber que seu espírito, sua alma – ou como você quiser chamar essa parte de si –, sairão fortalecidos dessa experiência.

Eu acredito que tudo tem uma razão de ser, e o que aprendi na floresta foi determinante para que eu tivesse uma nova perspectiva em relação à minha vida e sobre meu comportamento e minhas atitudes diante das dificuldades.

Eu só precisava ficar atento para não deixar minha mente vacilar. Espiritualmente eu estava forte, mas meu corpo estava fraco. O importante é que Deus guiava o meu caminho.

Sou nascido e criado na floresta amazônica, meu avô era extrativista. Tenho uma relação muito íntima com a Amazônia, mas mesmo assim nunca tinha ficado numa situação-limite como aquela; de qualquer forma, aprendi muito com as pessoas que iam para o mato e depois contavam as histórias que tinham vivido por lá.

Quando assistia a documentários a respeito de sobrevivência na selva e de pesca, eu sempre via que os três maiores predadores da Amazônia são a onça-pintada, o maior felino das Américas, o jacaré-açu e a sucuri.

Outras cobras peçonhentas também são perigosas, mas é possível evitá-las ao andar. Caminhe fazendo barulho, assim você assusta o animal, porque, se chegar na surdina à zona de proteção onde ele se encontra, ele vai atacá-lo por instinto. Por isso, respeitar a floresta e os animais que estavam lá há mais tempo do que eu era algo que eu precisava fazer com sabedoria para conseguir passar por aquele percurso.

Quantas vezes estamos em uma situação completamente estranha, desconhecida para nós, e queremos fazer tudo do nosso jeito, sem nem ao menos entender a dinâmica lá de fora? Para conseguir passar por uma situação em um local desconhecido, é preciso respeitar o lugar onde você se encontra.

Eu caminhava fazendo barulho para que os animais percebessem que eu estava me aproximando. Normalmente os menores se afastavam e eu encontrava bichos como cotias, capivaras e veados. Eu sabia que os grandes predadores da floresta tinham algo em comum: todos ficavam próximos à água.

A onça-pintada não anda muitos quilômetros atrás da caça, e a sucuri e o jacaré sempre ficam perto da água. A onça faz a tocaia perto das fontes, à espreita, e aguarda os animais irem beber água; é quando ela ataca. Foi por isso que, depois de eu ter saído do primeiro acampamento, nunca mais fiquei perto de igarapés. Eu passava por eles e, quando via que tinha água bem corrente e limpa, trocava a que estava nas garrafinhas pela mais fresca.

Eu procurava me hidratar o máximo possível e tinha fé que encontraria mais água no dia seguinte.

Existe uma passagem bíblica que conta que, quando Moisés estava no deserto, todos os dias Deus enviava milagrosamente Maná para o seu povo. O Maná caía dos céus, e isso fazia com que todo o povo tivesse alimento diariamente. No entanto, certa vez alguém perguntou: "E se amanhã não tivermos Maná?". Foi assim que o povo começou a guardar alimento para o dia seguinte.

Essa desconfiança na providência divina fazia o alimento apodrecer.

Portanto, eu sabia de uma coisa: sempre encontraria os recursos necessários para a minha sobrevivência. Se duvidasse disso, corria o risco de ficar parado. Corria o risco de não conseguir sair da floresta.

Encontrar água, fazer abrigo e fazer fogo: não importava o que acontecesse, eu precisava disso.

E não parava para comer, nem tentava caçar ou fazer qualquer armadilha para pegar algum animal e me alimentar, já que a faca de bolso que eu tinha quebrara no segundo dia de caminhada e eu estava apenas com meu canivete. Não dava para parar.

Minhas três prioridades na vida naquele momento eram: água, abrigo e fogo.

Entre vales e serras, eu continuava caminhando e seguia com fé, acreditando que, mesmo que tudo parecesse escuro, o sol voltaria a brilhar e eu precisaria estar pronto, preparado. Eu carregava aquela cruz da maneira como podia, mas em meu coração havia muita fé, e essa era a maior força que eu poderia ter.

11

AS PROVAÇÕES

Tem gente que acha que a Amazônia é apenas uma floresta com um monte de árvores grandes. Um mundo de árvores.

Só que não!

A Amazônia brasileira tem uma área de mais de cinco milhões de quilômetros quadrados, que passa por nove estados do Brasil: Acre, Amapá, Amazonas, Maranhão, Mato Grosso, Pará, Rondônia Roraima e Tocantins.

Em primeiro lugar, na floresta amazônica chove muito e a temperatura é bastante alta, sempre variando entre 22 e 28 graus. Isso influencia diretamente tanto a vida vegetal quanto a animal. Não tem como não ser assim.

Na floresta a biodiversidade é impressionante, um imenso organismo vivo que abrange áreas completamente diferentes umas das outras: você encontra florestas densas, várzeas, campos alagados, matas de igapó, montanhas e vales, rios e serras.

Isso sem falar da bacia amazônica, que é a maior bacia hidrográfica do planeta. Só o rio Amazonas, o maior do mundo em extensão e em volume de água doce, tem mais de mil afluentes e quase sete mil quilômetros de extensão.

A vegetação é um capítulo à parte. Existem as chamadas matas de terra firme, que ficam em áreas mais altas e por isso não são inundadas pelos rios.

Só de espécies de animais estima-se que existam cerca de trinta milhões na Amazônia.

Minha irmã Mariana, que é engenheira ambiental, sempre me falava sobre isso, mas nunca tinha me passado pela cabeça que eu veria tão de perto toda essa diversidade.

A parte próxima dos grandes rios tem muita água; já a parte de floresta é fechada, e ali existem muitos pântanos, com dois ou três palmos de água, árvores com raízes submersas, que cobrem tudo e deixam o lugar com um aspecto sombrio e escuro. As áreas de mangue ficam nesses vales também. A diversidade era tamanha que eu sempre sabia que me surpreenderia com algo novo.

Cheguei a encontrar mangues de lama cinza em que, se eu pisasse errado, ficaria enterrado dos pés até o joelho.

E havia siris no meio da floresta, algo que jamais imaginei!

Nesse local com uma natureza tão rica eu aproveitava para conversar comigo mesmo, e me divertia de certa forma. Eu literalmente conversava com as minhas personalidades. Ia batendo papo e brincando, e às vezes me sentia em um daqueles filmes nos quais o protagonista cria um amigo imaginário para não se sentir sozinho.

As dificuldades que surgiam me obrigavam a usar a criatividade e a improvisar cada vez mais. De vez em quando eu dava uma de Tarzan e me pendurava em cipós para atravessar áreas alagadas. Era uma maneira de encontrar soluções com o que eu tinha à disposição. Mesmo que as circunstâncias fossem adversas, e os desafios, grandes, fui conseguindo deixar meu espírito tão mais leve que, quando não havia um obstáculo, eu até me divertia.

É aquela história sobre estar completo, ser inteiro.

Só que vieram as provações.

Áreas de mangue, de pântano, em que a floresta estava coberta por cipós.

Havia certos vales muito pequenos entre uma serra e outra nos quais as árvores eram tomadas por cipós. Caminhar ali era muito difícil porque não havia qualquer parte livre, não havia brechas.

Era preciso desviar. Havia sororocas, o terreno era instável e eu tinha que ir batendo nos cipós e não havia como cortá-los. Então, logo depois as descidas da serra eram difíceis. Várias vezes eu escorreguei, e quando isso acontecia era muito perigoso.

Passar por áreas de cipó também era complicado porque eles caíam em cima de mim com insetos, cupins, aranhas e formigas tucandeiras, cuja picada faz sangrar. E, olha, vou falar, isso tudo doía demais. Aprendi a conviver com a dor, já que ela tinha se tornado parte do processo.

Aqui é importante dizer uma coisa: não aconselho ninguém a conviver com as próprias dores, mas precisamos reconhecer quando existem limites. Quando essas dores querem nos deter e não podemos parar, precisamos ter resiliência e força para continuar.

A minha realidade era aquela e ponto-final. Uma abelha picava, mas eu não tinha tempo nem podia parar e reclamar.

Precisava continuar mesmo com dor: eu tinha um objetivo maior, que era caminhar, tinha que chegar a algum lugar.

Quanto mais eu caminhava, mais sentia que estava próximo da minha família.

Em uma dessas áreas repletas de cipó, perdi a referência do sol em um dia nublado e caminhei durante quase uma hora no sentido contrário. Nesse dia, alguma coisa que não sei o que foi – uma aranha ou lacrau – caiu sobre mim e me picou.

Gritei, bati e não vi o bicho.

Mas vi uma marca vermelha com um grande furo. Era uma dor grande que irradiava e se espalhava pelo meu corpo. Parecia que ia tomando meu diafragma, e meus músculos foram enrijecendo. Se eu fazia qualquer movimento, tudo doía.

Eu me sentei e fiquei tentando lidar com aquela dor porque me lembrei de que, quando se toma uma picada de inseto ou animal peçonhento, é preciso ficar calmo para que o veneno não se espalhe tão rapidamente pelo nosso corpo.

Tentei relaxar, mas a dor não passava. Era insuportável!

Desde a queda do avião eu sentia dor o tempo todo, e nesse dia quase me rendi a ela. No entanto, eu não sabia, mas a parte mais difícil ainda estava por vir: cheguei a um lugar onde crescia uma espécie de capim, que parecia bambu, bem alto, maior que eu. Não tinha como passar por ele se eu não o cortasse, mas eu não tinha um facão. Tinha que bater nele com os cajados até que ele quebrasse para que eu pudesse passar.

Até aí tudo bem. O grande problema é que em meio a esse capim crescia um cipó muito resistente, que criava uma espécie de malha. A tarefa se tornou ainda mais cansativa. Tudo o que eu podia fazer era bater muito em sua base para tentar derrubá-lo e passar por cima. Só que esse cipó era repleto de espinhos desde a base até a ponta, em formato de garra, como o de uma roseira. E eles ficavam justamente no sentido em que eu batia. Cada vez que eu golpeava, me feria.

Acabei fazendo isso exaustivamente, até que baixasse. Quando baixava, eu dava um passo. Dois passos.

Batia muito até poder dar mais um passo.

Nas provações da vida, nas horas em que tudo parece conspirar contra você, o ideal é dar um passo por vez, por mais que doa, por mais que tudo pareça fazer você querer desistir.

Sempre que eu golpeava o cipó, os espinhos se chocavam contra meu antebraço e o faziam sangrar, mas eu precisava continuar e assim conseguir dar mais um passo.

Era muita dor.

Eu batia, batia. Dava um passo. Outro.

Quanto mais entrava naquela mata, maiores eram os espinhos.

Nem sei quantas vezes tive que passar por isso.

Eu achei que não ia conseguir. Implorei a ajuda a Deus.

Algo dentro de mim dizia: "Não quer encontrar a sua família? Não quer encontrar cada um deles? Este é o caminho". E eu recorria a Ele: "Deus, eu não tenho mais forças. Me dá a Tua força". E então sentia força para continuar.

Tenho certeza de que era a oração das pessoas que estavam em constante vigília para que eu fosse encontrado. Tenho tanta convicção quanto a essa troca de energia espiritual que hoje sei que, além das minhas orações, a força das orações de todas as pessoas que pediam por mim me dava sustentação. Muita gente rezava por mim sem nem saber direito quem eu era e estava emocionada com a minha história.

Existem teorias que falam sobre isso, sobre essa troca de energia. O universo é feito de energia. No nível espiritual, isso existe.

Muitas pessoas não conseguiram passar pelo que eu passei, e, quando me lembro desses episódios, quase não consigo explicar o tamanho da dificuldade e da dor.

Naquele momento, eu não tinha mais forças. Não é porque sua fé foi renovada que você não enfrentará momentos de fraqueza.

Somos seres humanos.

12

O OTIMISMO QUE NOS IMPULSIONA

Subir a serra. Chegar à metade da escalada e perceber que não dá para ir adiante. Pedir forças: essa era a minha rotina, dia após dia.

Nesses momentos eu brincava com meu brinquedo novo, com a ferramenta que eu estava aprendendo a usar e fortalecendo: a fé.

Só que não era simplesmente a fé de quem acredita em algo. A fé que eu precisava exercitar era a fé na qual não cabem dúvidas, em que a sua mente não tenta brigar e o seu corpo não tenta desistir. A fé alimenta o espírito, dá forças e faz você ter a convicção de que conseguirá aquilo que está se propondo a fazer.

Eu tinha que ter a certeza de que conseguiria sair dali. Não sabia quanto tempo demoraria, nem quando eu sairia, mas dizia para mim o tempo todo: "Não sei quando, mas essa caminhada vai fazer com que eu encontre a minha família outra vez".

No meu coração pairava uma certeza absoluta: a de que eu iria conseguir.

E nisso entra um elemento-chave do qual ainda não falei: o otimismo.

Sempre fui um cara otimista, até demais, daqueles que acreditam que a ponte vai surgir debaixo dos pés e pisam mesmo sem conseguir enxergá-la. Foi com esse otimismo que eu abri meus estabelecimentos comerciais. Embora em alguns momentos surgissem dificuldades, eu não me deixava abater e continuava acreditando que as coisas poderiam mudar, que o vento sopraria a meu favor.

Ser otimista não é ser tolo. Pelo contrário: é usar uma energia muito potente que temos dentro de nós, a combinação da fé inabalável e da mente racional, porque de nada adianta acreditar com todo o coração se a sua mente o trair e pensamentos negativos começarem a tomar conta de você.

Manter o otimismo era fortalecer a mente, o corpo e o espírito para alcançar o meu objetivo, que era sair vivo da floresta.

Muitas vezes, após uma longa e exaustiva caminhada, eu chegava ao topo de uma serra e tudo o que via era mais uma imensidão verde. Eu pensava: "Não foi desta vez, não foi hoje, mas vai ser na próxima". A única coisa que eu tinha em mente era que precisava andar até encontrar um bom lugar para descansar.

Uma hora eu ia encontrar!

Se queremos caminhar com otimismo, onde quer que estejamos, precisamos entender que ser otimista significa não desprezar as adversidades, mas entender que elas são momentâneas. Nada dura para sempre.

Eu tinha um plano bem traçado e dia após dia lutava para manter a cabeça no lugar. Não era fácil, mas a combinação de fé, mente focada, um corpo disposto e otimismo é capaz de nos ajudar a enfrentar uma situação difícil.

É normal nos mantermos centrados no plano que traçamos, mas começarmos a pensar nas dificuldades que podem surgir durante o processo. São elas que destroem a nossa confiança, criam um cenário terrível e nos fazem sofrer por antecipação. Por causa disso, muita gente acaba nem saindo do lugar, por medo do que pode acontecer – um temor que, na maior parte das vezes, nem chega perto de virar realidade.

Por isso eu afirmo que, durante os dias em que fiquei na mata, não ficava ruminando tudo de ruim que poderia acontecer dali para a frente. Não pensava no vale adiante, nos cipós, nos insetos: muito menos que eu nunca sairia dali. Eu deixava para pensar nessas coisas quando saísse de lá.

Eu queria, mais que qualquer outra coisa, encontrar a minha família, e sabia que nenhuma barreira ou obstáculo seriam tão fortes quanto a minha vontade de abraçá-los novamente.

Era nas horas em que eu sentia dor, ou estava sangrando, sentindo frio ou em que chovia – e na Amazônia chove *muito* –, que eu mais agradecia a Deus por estar vivo.

Já percebeu como é fácil reclamar e sempre enxergar o copo meio vazio?

Quando as coisas não estão tão bem, dificilmente encontramos motivos para agradecer pela nossa saúde física, mental e espiritual, pela nossa vida ou mesmo pela oportunidade de vivermos mais um dia.

Durante essa minha jornada, entendi que, se aquelas dificuldades foram colocadas no meu caminho, eu seria capaz e teria coragem, tudo de que precisamos quando estamos sozinhos no meio de uma grande adversidade.

O medo e a impotência sempre retornavam, querendo me assombrar, mas eu me calava e observava esses dois dragões que invadiam minha mente, tentando me convencer de que não havia saída e de que nada adiantava ter fé.

Nessas horas, a firmeza de pensamento fazia a impotência e o medo diminuírem, me enchendo de fé e de otimismo.

Você já deve ter ouvido a história de quando Jesus estava no meio do deserto e foi tentado pelo diabo algumas vezes. Eu me lembrava disso e repetia para mim mesmo: "Nem só de pão viverá o homem, mas de toda palavra que vem de Deus".

A essa altura, fazia três dias que eu não comia nada. Quando me deitava, meu estômago afundava e eu sentia uma dor forte. Uma fome profunda. Era uma dor que machucava e chegava a fazer o restante do meu corpo doer. Eu me encolhia todo nesses momentos e repetia incansavelmente: "Nem só de pão viverá o homem, mas de toda palavra que vem de Deus".

Então eu pensava que conseguiria sair dali, encontrar minha família e contar a todos essa história, e uma onda de otimismo e esperança me dominava. Sem cessar, eu repetia: "Obrigado, meu Deus, Tu és bom! Obrigado, Deus, por estar aqui".

E mesmo com aquela dor dilacerante eu continuava orando e agradecendo, porque sabia que aquele tormento era passageiro, e com Deus dentro de mim não me deixaria abater diante dos obstáculos.

A fome vinha em ciclos, não doía toda hora. Quando estava caminhando quase não sentia fome; ela me assaltava quando eu tentava descansar. E nessas horas alguém parecia soprar no meu ouvido: "Cadê aquele Deus que você achava que estava te ajudando?".

Foi aí que tomei a decisão de nunca mais reclamar: era um alimento para o espírito e um exercício para a minha fé. Eu dizia: "Deus, obrigado! Tu és bom!".

Obviamente que falar isso não fazia a dor e a fome passarem, mas me deixava em paz e reforçava a certeza de que eu conseguiria lidar com aquele momento. Isso é a força que vem de Deus.

A oração traz tranquilidade e clareza para que você possa continuar lutando e tenha discernimento.

Precisamos entender que resolver nossos problemas é resultado da nossa luta, de cada batalha. Quantas pessoas que você conhece ficam sentadas pedindo a Deus, esperando que Ele jogue uma solução milagrosa no seu colo, e não fazem nada mais além disso?

Meu corpo estava cansado, mas, se eu continuasse parado ali, não chegaria aonde queria. Ele dizia: "Tu não consegue fisicamente". Se eu fosse seguir a vontade do meu corpo, ficaria parado e morreria de fome. A fome tira nossas forças.

Pensava em quantas vezes eu tinha visto na rua pessoas jogadas ao relento, sendo chamadas de "vagabundas" por estarem deitadas no chão. Finalmente eu entendia que a fome mina as forças, e ficar deitado era uma maneira de economizar energia. Pensar nisso fazia minha alma chegar a doer.

Nenhum ser humano merece passar fome!

E não tinha como eu não me perguntar: "Quantas vezes não dei valor para uma refeição quentinha no meu prato?". Temos que agradecer demais por ter o privilégio de comer. Agradecer por estar deitado em uma cama seca e limpa. Por não estar na rua passando fome nem frio.

Se não fosse o amor pela minha família e a fé, acho que teria ficado prostrado ali.

Só que eu não poderia ficar parado.

Essa escolha eu tinha que fazer.

Escolhi a minha fé.

13

A CURA ESPIRITUAL E PSICOLÓGICA

A floresta tem seus métodos de defesa. E eu, naqueles dias, era apenas um intruso, um homem no meio dos bichos, da mata e dos rios, um homem que tentava sobreviver.

Durante aquele processo, o que aconteceu foi um momento de cura espiritual e psicológica. Sabemos que Deus tem um propósito para tudo, e às vezes a pergunta que fazemos é: "Quem te preparou espiritualmente?".

Quando decidi que buscaria a Deus, sabia de uma coisa: estava rompendo a barreira das nuvens e chegando aos céus. Desta vez não estava dentro de um avião, mas em terra firme. Muitas vezes o peso da gravidade nos impede de falar com Deus.

Digo isso porque a realidade do cotidiano com frequência nos deixa sobrecarregados, pesados, nos impede de ter a leveza que Deus pede que tenhamos.

Se estamos buscando superar adversidades, devemos entender que sozinhos não conseguiremos. A fé é necessária nos momentos difíceis; ela gera vida, faz as coisas acontecerem. É a certeza naquilo que não podemos ver. De fato, eu tinha certeza de que iria sair da floresta, e já me via fora de lá. Não sabia como, mas sairia dali.

Eu estava sem comer e ressignificando minha vida, como muitos monges fazem quando sobem uma montanha para meditar e conversar com Deus. Para mim, aquela provação e mudança eram algo que Deus havia preparado para mim.

É curioso que, quando via alguém feliz mesmo que estivesse enfrentando várias dificuldades, não era capaz de entender como essa pessoa conseguia agir assim, se sentir assim, mas, durante esses meus longos dias de caminhada, me dei conta de que somente quem tem o espírito completo pode fazer isso.

Pode observar: muita gente vive com simplicidade, e às vezes você até se pergunta: "Mas como ele(a) consegue ser feliz?". A resposta é que em geral essa pessoa tem Deus no coração, e quando você tem Deus no coração o resto é relativo.

Uma passagem bíblica bastante conhecida diz o seguinte: "vinde a mim quem está cansado e sobrecarregado", e eu sempre lembrava dela quando estava muito cansado. Imaginava a mão de Deus e me deitava nela.

Eu fazia a minha parte sabendo que tudo aconteceria no tempo Dele.

Sempre idealizamos aquela fé linda, pura, mas, durante a minha lavação de roupa suja com Deus, eu havia feito meu pedido a Ele e restava a mim confiar que tudo aconteceria no tempo certo.

Somos seres ansiosos e imediatistas, queremos tudo no nosso tempo.

Certa vez aprendi com um teólogo que temos dois tempos: Cronos, o nosso tempo, e Kairós, o tempo de Deus.

Cronos é o deus grego do tempo quantificado, o tempo que se pode medir. É o tempo corrente, ordenado pelo relógio, no qual um minuto é igual ao outro, e às horas sucedem-se os dias, os meses e os anos.

O tempo de Deus não é o *nosso* tempo, e a única coisa que eu pedia era para que continuasse a ter fé, pois precisaria dela entre vales e cumes, e a minha única certeza era que depois de uma serra enorme viria o vale.

Quanto ao tempo de Deus, muito diferente do nosso, eu sabia que, apesar de espaço e tempo serem divididos em um calendário para o homem, um minuto para Deus pode significar anos para o homem.

O homem tenta explicar as dobras no tempo. E podemos claramente fazer essa relação do plano natural com o plano espiritual.

Houve momentos em que eu andava pela mata e, ao observar a imensidão diante de mim, não tinha como não pensar: "Meu Deus, ainda tem tudo isso para eu caminhar?". O desânimo era inevitável. Nessas horas, uma voz dizia: "Agora olha para trás", e eu via o quanto já tinha andado.

Na vida, muitas vezes ficamos olhando para a frente, ansiosos, com medo, preocupados com tudo o que virá e nos esquecemos da nossa trajetória, de tudo o que já vivenciamos. Quando conseguimos olhar para trás e reconhecer o valor das nossas experiências, ganhamos confiança para seguir em frente, porque reconhecemos a força que tivemos para superar muitos obstáculos. De onde veio aquela força vem mais.

Sempre que eu me via desanimado diante do que viria, olhar para trás me ajudava. Mesmo assim ainda surgiam cenas aterrorizantes na mente, principalmente quando eu ouvia barulhos ou deixava minha mente vagar.

Aliás, você já parou para pensar como surgem as lendas da Amazônia? O curupira, a cobra-grande e todos aqueles personagens?

O que acontece é que, quando as pessoas entram na mata e ficam assustadas, seus medos vêm à tona. No meio da escuridão veem uma coisa vermelha se movendo, não conseguem encontrar uma explicação imediata então aquilo pode ser qualquer coisa. Se o sujeito cresceu ouvindo a tal história sobre a cobra-grande de olhos vermelhos que vai te pegar no rio, aquilo fica no subconsciente e vem à tona de uma forma tão real que ele vai afirmar com toda a certeza que viu aquele ser do seu imaginário. Aí nasce o folclore.

Existem cada vez mais cientistas que conectam uma coisa e a outra, e já afirmei e reforço que certas coisas a ciência não explica, só o sobrenatural pode explicar, pois está muito acima da nossa capacidade de entendimento.

Precisamos transcender o natural para entender as coisas que acontecem conosco. Minha história de sobrevivência impacta muita gente que não consegue entender como um ser humano pode ter sobrevivido à queda de um avião e passado tantos dias no meio da floresta sem comida e recursos.

Só que não fui eu: foi Deus! Eu me sentia ligado a um reservatório de força espiritual que me permitiu passar por situações terríveis sem perder a coragem e a fé.

Cresci em um lar cristão. Eu era feliz e tinha uma boa relação com Deus. Ia à igreja e não conseguia entender por que coisas ruins acontecem com pessoas boas.

Depois daquela conversa no meio da selva, compreendi que Deus não faz coisas ruins com ninguém.

Vivemos num plano natural onde coisas ruins acontecem com pessoas boas. A maneira como agimos em relação a isso é o que determina tudo.

É curioso que depois da minha conversa com Deus, quando senti que eu era um ser completo, quase todos os meus medos desapareceram.

Às vezes meu abrigo era precário, e, claro, eu pedia que naquela noite não chovesse, mas o que acontecia era justamente o contrário: chovia torrencialmente. Não estou brincando!

Foi assim que entendi que, embora eu quisesse uma coisa no meu tempo, Deus fazia outra. Foi só ao término da minha jornada que descobri que aquela chuva tinha uma razão de ser...

Nessas noites chuvosas era quase impossível adormecer. Eu ficava todo molhado, tinha que dormir sentado, abraçado às minhas pernas, tentando evitar que as minhas coisas molhassem mais ainda. E no dia seguinte eu saía molhado mesmo. Vinha aquele sentimento de que a vida é feita de altos e baixos e que a nossa confiança em Deus é provada nesses momentos.

O caminho até conseguirmos o que queremos não é fácil, e em geral só agradecemos a Deus quando tudo está bem. É difícil se manter otimista quando cai uma chuva inesperada durante uma noite fria e você está praticamente ao relento.

Era quando eu abraçava as minhas pernas, abaixava a cabeça e reverenciava meu criador: "Deus, obrigado". Houve noites em que eu simplesmente apaguei e dormi, acordando renovado na manhã. Quando o sol raiava, eu precisava continuar.

A força era Dele. Dessa chama que ardia dentro de mim.

Então eu me lembrava do abraço da minha mãe, dos meus irmãos, e entendia que, quanto mais eu caminhasse, mais perto eu estaria deles. O corpo dizia para eu ficar parado, mas eu estava muito longe da minha casa. E todo dia de manhã eu orava antes de caminhar: "Deus, obrigado por mais este dia. Obrigado pelas vitórias e pelas derrotas".

Eu pedia pela minha mãe, invocava Deus e rogava que Ele a protegesse, que a enchesse com Seu espírito de paz e consolo e que sussurrasse em seu ouvido que seu filho estava vivo e a caminho.

Pedia que mandasse forças e sabedoria para que meus irmãos soubessem lidar com aquela situação toda. Que Deus abençoasse a vida do meu irmão para que desse tudo que ele sempre desejou na vida. Pedia também pelas minhas sobrinhas e pela família da minha irmã. Que Ele mostrasse para ela o quanto ela é forte e a presenteasse com sucesso e prosperidade.

E que Ele, por fim, me perdoasse pelos meus pecados.

A verdade é que, depois que me afastei Dele, minha vida se resumiu a uma busca incessante por grana, sucesso profissional, festas. Toda hora eu me colocava em situações que me faziam perguntar: "O que é que eu estou fazendo aqui?".

Acho que é exatamente por isso que a sociedade está enlouquecendo. Sofremos com estresse, ansiedade, depressão, exaustão. Corremos atrás de uma vida que não é compatível com o nosso propósito.

Para mim, essa busca por algo que queremos e não sabemos bem o que é tem sido motivo de intenso sofrimento para os seres humanos. Pode ser uma busca insana por dinheiro, pelo corpo perfeito, pelo relacionamento com a pessoa dos seus sonhos, pelo sucesso.

Quando me reencontrei com Deus, senti que tudo aquilo que eu desejava era desnecessário. Eu estava no meio da floresta amazônica sozinho, com fome e mesmo assim me sentia em paz.

Era a mais completa paz.

Eu tinha, de fato, deixado minha vida nas mãos Dele. Se eu ia ou não sair dali, era Ele quem sabia. Mas algo me dizia que eu conseguiria. Era o que eu desejava. E, se a minha vontade fosse a mesma Dele, Ele daria um jeito de me tirar de lá.

Se eu ficasse parado, Ele não ia me tirar de lá.

Se eu não me mexesse, não sairia do lugar.

Entenda que o trabalho é *sempre* a nossa parte.

A luta é sua no plano natural. E, no sobrenatural, a sua fé trabalha.

Aqui na Terra é onde as lutas acontecem. E você tem que estar preparado para elas. Não sei qual é a sua batalha neste exato momento, mas de uma coisa eu sei: você não pode desistir de jeito nenhum!

"Ora, a fé é a certeza daquilo que esperamos e a prova daquilo que não vemos."

Hebreus 11:1-3

14

AS DIFICULDADES DE CADA DIA

Lembro claramente do dia em que olhei para o céu e pensei: "Já faz um mês que estou aqui". Sabia que o avião tinha caído em um dia de lua cheia, porque o clarão da lua nas primeiras noites da floresta tinha me favorecido.

E um mês depois, ainda com esperanças de sair dali, eu vi aquela lua branca e linda despontando no céu.

A essa altura, o pão já tinha acabado e eu precisava contar com a sorte. Eu me lembro do minuto em que comi o último pedaço. Tinha sido decisivo, porque eu sabia que poderia morrer de fome se não encontrasse algo para comer, o que era desesperador. O pão era a minha garantia, mas eu precisava confiar que encontraria outras fontes de energia. As energias espirituais eram grandes, mas fisicamente eu me sentia fraco e acho que teria encarado com bom humor se o meu estômago não gritasse tanto de fome.

Eu às vezes encontrava a fruta de uma árvore que se chama breu-branco, parecida com a lichia. Mas nunca tinha visto aquilo na minha vida, não sabia se poderia comer ou não. Foi quando observei que os macacos a comiam. Se o macaco come, eu também poderia comer. Era gostosa, mas não dava saciedade - e eu comia como se estivesse me fartando da melhor ceia que já fizera na vida.

Em outras ocasiões, encontrei cacau. Era gostoso, mas não tão simples de encontrar. Também achei taperebá, ou cajá, uma fruta conhecida que eu sabia que poderia ingerir com tranquilidade.

No dia em que encontrei ovo de nambu, de cor azul, que parecia um ovo de porcelana, foi fascinante! Eu nunca tinha visto um ovo azul na vida. Era grande, duas vezes o tamanho de um ovo de galinha. Fiquei muito aliviado porque sabia que aquela era a minha chance de finalmente ingerir alguma proteína.

Abri pela primeira vez, olhei se não tinha nenhum filhote chocando e comi cru mesmo.

Foram três as ocasiões em que encontrei os tais ovos, e aquela proteína me manteria nutrido durante um bom tempo.

De vez em quando eu encontrava uma frutinha verde no formato de lúpulo, e foi assim que ia sobrevivendo com o que a natureza oferecia.

Eu sonhava com cheiro de churrasco e chegava até a sentir o aroma entrando pelas minhas narinas de vez em quando. Tinha vontade de comer comida árabe, e em certos momentos parecia que os pratos estavam ali, perto de mim. Eu sentia o sabor só de imaginar a comida...

Até hoje não consigo entender como não fiquei resfriado nem peguei malária, já que andava constantemente com a roupa molhada no corpo. A probabilidade de que acontecessem coisas terríveis era enorme.

Quando eu caminhava e via marcas de pegadas de animais sem saber quais eram, meu coração quase saía pela boca. Poderiam ser de uma onça ou de qualquer outro predador. Mas eu não tinha escapatória: minha única saída era continuar a andar.

De certas dificuldades eu nem me dava conta, mas houve perrengues dos quais não vou me esquecer tão cedo.

Um deles foi quando enfrentei os macacos-aranha. Eles têm a pelagem preta e a cara pequena e são extremamente territorialistas. À medida que eu parava para começar a construir meu abrigo, eles vinham tentar me impedir.

Era comum alguns deles chegarem e começarem a gritar. Logo apareciam outros. Andavam em bando e balançavam as árvores logo acima de mim, na tentativa de derrubar galhos sobre onde eu estava.

Conseguiram destruir um abrigo meu uma vez, derrubando um galho enorme em cima dele. Perseverante, eu não ia desistir por causa deles. Mas, olha, que raiva eu senti desses macacos!

De todos os perrengues, o mais curioso foi o estranho caso do jabuti.

O jabuti é um animal de carapaça dura, parecido com a tartaruga, que vive nas matas do Brasil. Ele aparece em muitas lendas como símbolo de astúcia, embora todo mundo ache que ele seja um animal lento e incapaz de se defender.

Eu me deparei com um. Era pequeno e eu imediatamente pensei: "Vou comer esse jabuti".

Pode parecer estranho para você, mas meu estômago ardia de fome, e no interior do Pará havia o costume de pôr o jabuti em cima do braseiro com casco e tudo e deixá-lo ali até cozinhar.

"Vou fazer desse jeito", pensei.

Peguei o jabuti no fim da tarde e justo naquele dia demorei muito tempo para arrumar meu abrigo, que eu fiz apenas com a palmeira, já que não achava sororoca, e usei os sacos de ráfia.

Só que não tinha encontrado lenha para a fogueira, então pensei em deixar aquela refeição para o dia seguinte. O casco do jabuti era alto e eu o coloquei com o casco virado para baixo na frente do abrigo com a certeza que de lá ele não iria sair. E fui tentar dormir.

Por volta das dez da noite, ouvi um barulho estranho e me levantei. Fui olhar e era o jabuti. O danado tinha se virado. Mas como? Fui lá e o virei novamente.

Depois de mais alguns minutos, escutei o barulho novamente e ele tinha desvirado de novo. Eu virava, ele desvirava e nós ficamos nessa briga por algum tempo.

"Ah, não, não vai fugir não!"

Peguei um saco de ráfia e coloquei o jabuti lá dentro. Eu o amarrei na árvore e respirei fundo. Estava resolvido.

Já era meia-noite quando começou a cair uma chuva muito forte. A água invadiu o abrigo e eu acabei precisando do saco onde o jabuti estava para tentar me proteger. Fui pegar o saco e pensei: "Ei, jabuti, tu deu muita sorte!".

E o jabuti sortudo saiu ileso. Eu não mataria minha fome com ele.

15

A SERENIDADE

Caminhar sempre foi, em todas as culturas, uma atividade que traz paz, que faz o ser humano se reconectar consigo mesmo. Talvez, seja por isso que muitas pessoas afirmam que uma longa peregrinação promove transformações profundas em qualquer ser humano.

Eu estava em uma peregrinação. E, embora fosse uma caminhada cheia de surpresas, barulhos, odores, nuances das mais variadas e das mais inesperadas, essa andança toda me fez perceber a mim mesmo.

Era uma redescoberta.

Houve momentos de extrema dificuldade, mas também instantes de profunda paz, como no dia em que comecei a caminhar: fazia sol e, assim que comecei a descer aquela serra que não acabava nunca, vi que tinha um vale muito grande.

Quando estamos nos vales, não podemos enxergar o horizonte – é exatamente assim que ficamos quando estamos passando por períodos difíceis na vida e não sabemos ao certo o que tem lá na frente.

Desci uma serra que não acabava nunca, e de repente vinha o vento. A mata foi ficando mais fechada e, conforme dei alguns passos, percebi que era um barulho diferente.

Parecia água.

A descida da serra era íngreme, e a dificuldade, grande, mas assim que ultrapassei a mata, uma surpresa: estava diante de uma linda cachoeira!

Mal pude acreditar no que via diante de mim: era o encontro de duas serras e a água descia no meio delas, devagar, em pequenas quedas. Eu poderia me sentar ali e deslizar. Aquela visão era como o paraíso!

“Tenho que parar aqui”, pensei.

Tirei a roupa, lavei tudo e entrei na cachoeira, regenerando o corpo e a alma. Comecei a gritar, entusiasmado, agradecendo a Deus por aquele momento mágico. Foi um presente!

Fiquei ali durante horas, em estado meditativo, contemplando, nadando. Quando eram duas da tarde, decidi voltar a caminhar. Eu mal tinha conseguido tomar um banho até aquele dia. Geralmente lavava o rosto, mãos, pés e nuca quando encontrava um igarapé mais profundo.

Era em momentos de alegria como aquele que eu via o quanto era importante parar para aproveitar e curtir as coisas que Deus propicia para nós.

Naquele dia, embora eu não tivesse comido absolutamente nada, estava com o espírito restaurado. Os aprendizados durante as caminhadas eram sempre profundos.

Um dia encontrei um igarapé muito grande e não sabia como atravessá-lo. Já imaginava como teria que nadar para chegar ao outro lado, pensava em embrulhar a mochila com algumas folhas e fiquei analisando aquela distância e tudo o que poderia acontecer durante a travessia.

Eu precisava passar pelo igarapé.

Então bolei um plano mirabolante. A ideia era tirar toda a minha roupa, colocar na mochila, cobri-la com folhas de sororoca, colocar dois sacos de ráfia dentro dela e então atravessar a nado um igarapé com uns quinze metros de largura.

Já estava só de cueca, pronto para atravessar, quando, de repente, parei e falei para mim mesmo: “Peraí, deixa eu dar uma boa olhada nisso tudo”.

Caminhei um pouco pela margem e, ao olhar com mais atenção, notei uma curva e uma árvore caída que era como uma ponte, atravessando de um lado para o outro.

Comecei a rir sozinho e a celebrar. Não precisaria nadar. Era só atravessar por cima do tronco. Esse foi um dos momentos em que o bom humor vinha com tudo e meu lado descontraído chegava dando o ar da graça. Eu conversava comigo mesmo e dizia: "Tá vendo, lerdo? Olha a besteira que você ia fazer!". E respondia para mim mesmo: "Né? Tenho que pensar melhor nessas horas!".

E eu ria da graça que surgia em meio ao caos.

Aquilo ficou muito marcado em mim, principalmente porque com frequência nos apegamos à primeira ideia ou solução que nos vem à mente. Agimos quase sem pensar, focando no resultado final sem nem considerar as variáveis ou observar o todo.

Tomar certa distância, respirar fundo e pensar com calma faz toda a diferença.

Ao dar um passo para trás eu pude enxergar a situação com mais amplitude. Depois dessa experiência, sempre que encontrava um igarapé, ia em busca de uma árvore que pudesse servir de ponte até a outra margem.

Aprendi que, sempre que passamos por um problema, devemos analisá-lo primeiro e olhar para cada vertente daquela situação. Eu poderia ter perdido a minha mochila e a até a vida por causa de uma atitude precipitada.

Mais tarde percebi que esses igarapés correm muito e as margens são de barranco: conforme a água bate, vai chegando perto da raiz e essas margens cedem e tombam até a outra margem. Passei pelos três igarapés que encontrei posteriormente dessa forma.

Cada pequena vitória que me fazia entender algo novo também me dava a certeza de que eu tinha enfrentado mais um desafio, e eu comemorava cada uma delas.

O importante é celebrarmos cada dia que vivemos e as pequenas vitórias que alcançamos a cada um deles. Quando eu passava uma serra difícil ou um matagal e ficava muito arranhado, me dava ânimo ser capaz de reconhecer que tinha superado aquilo.

Quantas vezes não passamos por pequenas vitórias e deixamos de celebrar?

O que eu digo agora para você é: aproveite as pequenas vitórias, cada uma delas. E saiba ter desprendimento quando estiver em sua zona de conforto. Eu posso afirmar com toda a certeza que não era fácil sair do abrigo quando as coisas estavam bem.

Às vezes eu montava abrigos que pareciam chalés cinco estrelas, e minha vontade era permanecer ali. Mas eu sabia que, quanto mais ficasse parado, mais longe do meu destino eu estava.

Nem sempre o local em que você está agora é aonde quer chegar, por melhor que possa parecer, e é sempre tentador se acomodar em determinadas situações porque "não está tão ruim", afinal de contas. Mas *sempre* se lembre do seu objetivo final: o meu era encontrar a minha família! A cada hora, eu tinha que me desprender. E também não podia reclamar.

Isso é muito importante, porque, sempre que eu reclamava do sofrimento, da dor, da fome ou do frio, aquela energia me colocava mais para baixo – e isso era tudo de que eu não precisava! Por isso, não reclame. Pode ser ruim, pode ser difícil, mas acredite que amanhã vai ser um dia melhor e que você vai aprender a parar de reclamar.

Não foi fácil, já que estamos falando de uma situação extrema. E poder falar isso, garantindo que funciona, é um privilégio. Eu realmente acredito que não estaria escrevendo este livro se tivesse me deixado abater pela negatividade.

Tudo neste mundo é energia.

Se você é cristão, comece a adorar a Deus. Se é budista, comece a meditar... Se você tem outra crença com relação ao Criador, se apegue a ela e creia nessa relação de forma positiva, só não reclame!

Cultive a serenidade, não as energias negativas. Elas não são boas para o seu caminho, para o seu corpo e muito menos para a sua mente.

Continue a andar.

Continue a confiar.

Na fé não há lugar para a dúvida. Este foi um dos aprendizados mais fortes para mim: não se pode ter dúvida. Não estou dizendo que você não terá dúvidas, mas, se tiver esse sentimento, apegue-se à fé.

O sentimento de dúvida começa com a negatividade, com o "não vou conseguir", mas eu digo: você vai.

Quantas vezes não fiquei sem forças? Às vezes a fome batia no meio da noite, ou então a dificuldade de caminhar por entre os cipós, onde eu me sentia um boi tentando passar por uma fechadura.

Isso me fazia ficar com a cabeça cheia de pensamentos ruins, e, quando ficamos assim, não podemos ver a saída, a luz no fim do túnel. Só que, quando você recorre à gratidão, para de reclamar das circunstâncias que se apresentam e respira fundo, acreditando que amanhã será um novo dia, as coisas já começam a melhorar.

Adquirimos clareza e serenidade para enfrentar os problemas. A negatividade ergue tapumes ao nosso redor. Por isso, precisamos de paz e de certeza. E essa certeza vem de Deus.

Muita gente chama de milagre tudo o que aconteceu comigo. Quando sobrevoei o local depois de reencontrar minha família, é até difícil acreditar que consegui sair dali, porém muito dessa serenidade e dessa paz das quais falo aqui foram necessárias para eu não me sufocar com o desespero.

Para mim, o que traz essa serenidade é Deus.

Na minha história, nos momentos mais difíceis, era Ele quem me dava forças. Eu sentia isso. Eu O sentia profundamente, pacificando meu coração.

O desafio estava sempre diante de mim, no entanto eu respirava fundo e, de repente, me sentia renovado.

Se você se cansou, respire fundo e vá em frente. Não pare!

Não pare.

16

DIGERINDO A VIDA

Em algum momento da sua vida você com certeza se viu diante de coisas indigestas. E não estou falando do pão embolorado que tive que engolir várias vezes por falta de alternativa. Também não estou falando sobre os alimentos que colhi para conseguir ficar de pé.

O que quero propor neste momento é uma reflexão sobre as situações da nossa vida que não sabemos como digerir. Muitas vezes são provações pelas quais passamos e momentos com experiências tão diversas que nos tiram do eixo de uma forma que ficamos sem saber bem o que ou quem somos.

A verdade é que a experiência da queda do avião com o pouso forçado, eu ter sobrevivido ao acidente, o que por si só tinha sido praticamente um milagre, ver o avião explodindo logo que saí dele, entender que eu estava sozinho na floresta e que nenhuma aeronave de resgate iria me encontrar... E logo depois sair na direção do sol, acreditando simplesmente em uma intuição, passando por todos os tipos de dificuldades físicas, mentais, espirituais e emocionais... bem, foi mais do que eu imaginei que seria capaz de suportar.

Todos nós, em determinados estágios da nossa vida, enfrentamos situações complicadas, em menor ou maior grau, e acredito que tais aprendizados são parte de períodos de crise que nos resgatam para uma nova vida. Para um novo eu.

Em alguns momentos tentei digerir tudo o que eu tinha vivido até então.

Era impossível, uma comida que não descia... e não havia água que ajudasse no processo. Era mais difícil do que tentar entender tudo o que agora estava acontecendo, e foi quando percebi que digerir algumas coisas que acontecem na nossa vida pode ser difícil quando ainda estamos no meio do processo, quando você está no meio da batalha. A boa notícia é que, depois que você as supera, que as atravessa, tudo começa a ficar mais claro. É como um dia novo.

Você começa a compreender o porquê de cada coisinha que lhe aconteceu, começa a entender de que maneira conseguiu seguir em frente e, principalmente, consegue perceber que eram circunstâncias que exigiram de você a sua maior força.

Dentro de nós existe uma força inesgotável que, muitas vezes, não deixamos vir à tona porque as situações cotidianas não são capazes de nos dar a dimensão de quão grandes somos. Hoje vejo que só consegui ser corajoso quando me foi exigido usar essa força, caso contrário eu poderia ter paralisado de medo e perdido a fé em mim mesmo.

Digerir a vida é observar todos os acontecimentos pelos quais você está passando – e pelos quais já passou – e entender que talvez eles estejam ali agora para serem digeridos lentamente. Da mesma forma que você não consegue engolir os alimentos sem mastigar direito, alguns acontecimentos na vida levam tempo para serem digeridos e para serem compreendidos.

Tudo leva tempo!

Temos que ter paciência e entender que a vida nos traz algumas dificuldades para que possamos encontrar a nossa força interna, o que é parte do nosso desenvolvimento e evolução.

Quantas vezes me vi em circunstâncias complicadas, com as quais jamais teria sonhado, e depois que me dava conta de que eu havia conseguido superá-las percebia que o medo de passar por aquilo era mais assustador que a situação em si.

Digerir a vida é olhar para as nossas experiências e entender que são maturadas com o tempo. Aos poucos vamos compreendendo a verdadeira dimensão dos desafios que vivemos, os motivos, e podemos fazer algo com isso tudo.

Nossa trajetória de vida sempre rende uma bela história. Não enxergamos isso porque acabamos ficamos sobrecarregados pela rotina e pelas obrigações do dia a dia. Assim, vivemos a conta-gotas.

Quando me lembro da maior situação-limite que já vivi, me refiro a ter enfrentado a queda de um avião na floresta. Claro, eu sei que é muito diferente dos desafios do dia a dia e das dificuldades normais que aparecem em nosso caminho, mas aposto que você já deve ter passado por momentos em que sua coragem foi posta à prova depois de grandes mudanças. Você pode ter ficado paralisado, sem saber o que fazer ou sem entender o que estava acontecendo naquele momento antes de o novo chegar.

Quando isso acontecer, preste atenção nos sinais, porque a vida sempre traz muitos indícios para nos avisar se estamos no caminho certo. Quando isso acontecer, olhe para Deus e peça esses sinais. Eles sempre nos serão dados.

Enquanto estamos prestes a fazer a travessia não é fácil digerir certas coisas, certos acontecimentos, se ficamos relutantes ou revoltados. Aquilo fica fermentando dentro do nosso corpo e só nos faz mal.

Precisamos ser como os alquimistas, que conseguem transformar tudo.

Eu não tive consciência do tamanho da minha fé e do tamanho da minha força até que precisei delas. É por isso que hoje, ao olhar para trás, para tudo o que aconteceu desde o momento em que o motor do avião pifou até a minha lavação de roupa suja com Deus, acredito firmemente que aceitar a situação que se apresenta diante de nós é muito melhor do que resistir a ela.

Precisei aceitar as minhas limitações e pedir a ajuda a Deus para conseguir entrar na floresta. Depois, consegui sobreviver na mata por tantos dias, com fome e cansado, e enfrentei noites em que chovia torrencialmente e eu não tinha para onde correr nem com quem conversar.

Era movido apenas pela esperança, pela vontade de encontrar os meus irmãos, apenas pela fé em Deus e pela minha intuição, que me levava adiante e me fazia acreditar que aquele sofrimento teria um fim.

Nenhum sofrimento dura para sempre.

Entendi que eu era muito pequeno diante de tudo o que acontecera, por mais que muitas vezes fosse assustador, e que aquilo me ensinava sobre a minha capacidade e como eu era – e fui – abençoado.

A conversa com Deus foi muito profunda, o toque Dele no meu coração eu sinto até hoje. Entrar na floresta acompanhado daquela força foi o que mais me deu coragem para enfrentar os meus próprios medos – os maiores fantasmas.

As dificuldades físicas foram quase intransponíveis, os momentos de tensão, em que eu não tinha nem ideia do que fazer ou mesmo aquelas horas em que eu me perguntava se aquilo tudo um dia teria fim, foram grandes professores e me renderão reflexões para o resto da minha vida.

Caminhar e observar o caminho, contemplar o presente, entender que às vezes a chuva que molha pode ser a chuva que te salva. Entender que uma situação que parece ruim talvez seja o seu trampolim para algo melhor.

Viver por si só é um grande desafio, e o que eu enfrentei pode parecer muito grande para você, mas estou bem certo de que você deve enfrentar todos os dias inúmeros obstáculos.

A cada dia, uma queda. A cada dia, um momento de reencontro com Deus que nos leva acima das nuvens depois da queda. A cada momento, uma batalha consigo mesmo, uma dificuldade que se mostra e que faz você querer desistir. Uma dor, uma provação, o sofrimento, a noite escura da alma, a chuva, a fome. Uma adversidade que nem sempre é física: pode ser mental, emocional ou espiritual.

Essas são situações que se apresentam e vão nos tirando do eixo. Porém, se conseguirmos perceber que aquele dia vai passar, teremos um amanhecer novo que nos trará uma luz após toda a escuridão.

Nossa fé começa a se alimentar de uma imagem mesmo sem termos qualquer perspectiva ou horizonte diante de nós.

Hoje vivemos muitas dificuldades simultaneamente e não entendemos como seremos capazes de nos levantar da cama e seguir com o nosso dia com paz de espírito, mas, se entendermos que temos o agora, o dia de hoje, como algo que Deus nos deu de presente, valorizaremos cada minuto da nossa existência e tentaremos transformar nossas emoções e digerir a vida, fazendo dela uma história bonita de ser contada. Os momentos tristes e sombrios fazem parte da jornada, e você poderá inspirar outras pessoas a serem mais fortes.

17

A TRAVESSIA

Durante todo o tempo em que estive na floresta, muitas vezes meus pensamentos e sentimentos operaram um pouco abaixo do alcance da consciência, e só agora, ao escrever este livro, consigo identificá-los.

Eu brigava comigo mesmo quando fazia algo de errado. E descobri novas personalidades.

Quantas vezes você já ficou sem falar com ninguém, sem ver ninguém? Quantos dias já ficou completamente isolado?

Tem gente que não fica cinco minutos sem o celular; imagina eu ali, desconectado do mundo?

Conforme eu limpava a janela da percepção através da qual via a mim mesmo, tinha uma clareza maior em relação a tudo. E em alguns momentos era assustador e desconfortável perceber quem eu era. Quem eu tinha sido.

Constantemente eu me via comparando e contrastando comportamentos ou sentimentos antigos com novas possibilidades de escolha e soluções.

Mudanças verdadeiras envolvem uma escolha consciente e, conforme eu me aproximava do momento crucial onde tudo se solucionaria, as coisas ficavam mais difíceis.

Os sintomas físicos se intensificavam, e eu precisava reunir todas as minhas forças para continuar. A cada dois dias eu precisava apertar um buraco do cinto, o que me dava uma noção de quanto peso havia perdido ao longo daquelas intermináveis horas. No dia em que acabaram os buracos, coloquei uma bermuda por baixo da calça para ver se segurava. Eu realmente tinha perdido muito peso.

Era uma tarde como todas as outras quando comecei a ouvir um barulho diferente. Imediatamente parei de fazer o que estava fazendo e comecei a prestar atenção. Era um barulho de motor, com certeza, e imaginei que fosse um drone, não sei por quê. Continuei ouvindo e percebi que acelerava de vez em quando. Logo identifiquei aquele som: era barulho de motosserra.

"Tem alguém aqui perto", foi o que pensei. Ainda focado no barulho, percebi que vinha do leste, um pouco para o sul, quase na minha rota. E então surgiu a dúvida: "Será que vou atrás dele ou não?!".

Já eram quatro da tarde e eu estava no meio do trabalho de montar meu abrigo. Caso eu decidisse ir, correria o risco de eles pararem de usar a motosserra e eu perderia a minha referência do caminho, correria o risco de não conseguir achar um local para fazer o abrigo e com certeza não teria tempo de montá-lo, o que me faria dormir ao relento, completamente desprotegido da chuva e de predadores. Isso ia contra todas as minhas prioridades: água, abrigo e fogo.

Decidi ficar e terminar meu abrigo. Me manter seguro era mais importante. Pensei: "Se for da vontade de Deus, eles vão usar essa motosserra amanhã".

Dormi e a noite passou. Na manhã seguinte, por volta das oito horas, novamente escutei o barulho. Só que agora estava no caminho oposto, em sentido oeste, um pouco ao sul.

Como aquelas pessoas haviam se movimentado tanto de um dia para o outro?

Eu precisava agir, mas as condições eram difíceis. Havia três dias que eu não comia. À noite eu já não sentia as pontas dos dedos e tinha cãibras a todo momento. Meu corpo repuxava e doía em partes que eu nem sabia que poderiam doer. Quando me abaixava para amarrar os cadarços ou pegar água, ao levantar, minha vista escurecia e eu perdia o equilíbrio. Esses episódios já eram frequentes. Cansaço, fome, tudo conspirava contra mim.

"Será que vou atrás desse lugar? Vou para o caminho oposto da direção para onde estou caminhando?"

O barulho da motosserra persistia e meu coração chegava a disparar, já que durante aquele tempo na floresta eu nunca tinha ouvido algo tão próximo.

Eu tinha que ir. Mesmo que perdesse um dia.

Já eram mais de oito e meia quando decidi seguir o barulho. Juntei minhas coisas e comecei a descer a mesma serra que tinha subido. Quando cheguei ao pé da serra, o barulho parou. Já eram nove horas.

"O que eu devia fazer? Retomar meu plano? Esperar que eles voltassem a ligar a motosserra?"

Fiquei pensando... Eu sabia que tinha me perdido várias vezes e meu coração dizia que, na hora que fosse para ser, Deus ia colocar um sinal na minha frente, para que eu não tivesse qualquer dúvida.

Imaginava que eram pesquisadores abrindo uma grande trilha e montando uma base dentro da floresta, e voltei a subir a serra na esperança de que encontraria a trilha deles no meu caminho.

Quando voltei ao topo novamente, eram quase dez horas. Ao descer, me deparei com uma das maiores áreas de pântano que já tinha visto em todos aqueles dias na floresta. Era tanta água, e eu precisava dar a volta naquilo. Eu não tinha ideia do que fazer.

Já encontrara áreas alagadas. Sabia que não era seguro e que poderia haver cobras peçonhentas, sanguessugas. Normalmente eu contornaria aquele obstáculo, mas estava muito fraco e esse desvio me custaria energia e tempo demais. Eu precisava passar por ali. Outra vez contrariando as minhas regras de segurança.

Dobrei a calça até a altura dos joelhos, tirei as meias para caminhar só de tênis – depois calçaria as meias secas de volta. E entrei na água. De repente foi ficando mais fundo. A água chegou até a minha canela, depois no meu joelho e já estava no meio da minha coxa quando vi que seria mais difícil do que eu havia imaginado.

Fui me segurando nas árvores e tentando caminhar por galhos caídos, pois queria sair dali o quanto antes. Minha preocupação era não molhar a mochila, senão ficaria muito pesada.

Quando finalmente saí do alagado, percebi que estava em um vale muito grande, não conseguia ver outras serras. Continuei caminhando até começar a ouvir barulho de água. Seria normal encontrar um igarapé em um vale daquele tamanho.

Caminhei mais um pouco até chegar ao igarapé. Tinha uns dez metros de largura, água barrenta e correnteza muito forte. Eu estava em uma margem úmida com plantas aquáticas que não me permitiriam atravessar nadando.

Fiquei observando e, de onde eu estava, conseguia olhar para uma curva do igarapé, e depois da curva percebi que havia uma margem mais alta, de barranco, que me permitiria tentar atravessar.

Comecei a voltar com o objetivo de chegar a essa margem de barranco, porém encontrei um córrego que saía exatamente do alagado sobre o qual eu passara e que desembocava ali no igarapé. Percebi que aquilo não era somente um alagado, mas um estuário das águas que vinham das serras. E eu precisava passar por esse córrego para chegar ao ponto que seria minha travessia.

Fui utilizando meu cajado improvisado para tentar ver qual era a profundidade do córrego. No entanto, logo ao dar o meu primeiro passo, afundei até a altura do pescoço. Fiquei todo molhado.

A mochila parecia pesar uma tonelada. Mas eu ainda precisava atravessar.

O córrego era muito profundo. Depois de procurar algum lugar pelo qual eu pudesse atravessar, achei uma árvore que crescia da margem até o meio do córrego mas que depois ficava muito alta para continuar. Tinha que ser ali mesmo. Subi um pouco nela, consegui jogar a mochila para o outro lado e depois pulei, porém ainda assim caí na água. Foi difícil, mas eu consegui.

Mais uma pequena vitória!

Não tinha como me secar e a água estava suja, mas continuei caminhando. Botei a mochila nas costas e fui até uma parte do barranco que havia logo adiante.

"Como vou fazer para atravessar isso aqui?"

Já era meio-dia quando cheguei ali. Passou pela minha cabeça a possibilidade de acampar lá mesmo. Na margem tinha palmeira e sororoca, e apesar de estar ao lado do igarapé, havia tudo de que eu precisava para um bom abrigo.

Ao mesmo tempo, algo me dizia que eu tinha que seguir em frente.

Já acostumado com aquela situação, procurei na margem alguma árvore caída que me permitisse atravessar o igarapé. Pelo contrário: encontrei outro estuário. Percebi que o melhor ponto para fazer a travessia era ali mesmo onde eu estava. Era o ponto mais estreito, mas também era o ponto de maior correnteza.

Eu nadei a vida inteira, competi até os quinze anos de idade, nadava bem, mas sabia que aquilo não seria fácil, principalmente porque estava com a mochila.

"Como atravessar com esta mochila encharcada, que pode virar uma âncora?"

Pensei em deixá-la para trás, porém tudo o que tinha me ajudado a sobreviver desde o início estava lá dentro. Sem aquelas coisas eu sabia que não conseguiria sobreviver na selva.

Teria que atravessar com ela.

Iria pôr em prática aquele plano mirabolante do primeiro igarapé. Tirei a roupa, coloquei tudo na mochila, peguei algumas folhas de sororoca e passei ao redor dela – na tentativa de deixá-la mais impermeável. Botei dentro de dois sacos de ráfia, amarrei uma ponta com a corda, como se fosse um envelope, e a outra amarrei na minha cintura. A ideia seria tentar nadar com ela daquele jeito. Só que, quando embalei aquilo tudo, percebi que estava pesando uns quinze quilos. Poderia facilmente me levar para o fundo.

Mas eu tinha que atravessar.

Comecei a procurar o melhor lugar para nadar, e naquele ponto a largura era de uns dez metros. Escolhi aquele ponto para atravessar porque havia uma árvore caída dentro do igarapé, na diagonal, perto da margem.

Não estava encostada, mas eu conseguiria ficar de pé em cima dela. Só ali eu ganhava uns dois metros. Dessa forma, nadaria apenas oito. Então, vi uma árvore de cacau e percebi que ela entrava três ou quatro metros dentro do igarapé.

Logo, baixava para cinco metros da distância que eu precisava nadar.

Mas era a parte de maior correnteza. Se eu não morresse afogado, conseguiria fazer a travessia. Estava muito preocupado, pois sabia que estava fraco, e uma cãibra forte no meio do caminho poderia ser fatal.

Pulei no igarapé e fui direto para lá. Cheguei até a árvore e fiquei de pé em cima dela. Percebi que havia mais uma parte dela que seguia em direção ao meio do igarapé, bem por baixo da linha d'água, e comecei a caminhar me equilibrando. A água já estava no meu joelho, e a correnteza vinha com força.

Estava feliz, pois já tinha conseguido ganhar mais uns dois metros apenas caminhando, quando, de repente, a correnteza me fez desequilibrar e eu caí na água. Para não ser levado por ela por causa do peso da mochila, tive que me atracar com a árvore. Ela estava toda submersa, por isso eu fazia força para me segurar enquanto tentava pôr a cabeça para fora para respirar. Meus braços já começavam a ter cãibras quando consegui respirar. Voltei ao ponto de partida.

A mochila pesava demais, mesmo assim comecei a caminhar novamente, quase chegando ao ponto ideal, e caí mais uma vez. Me agarrei na árvore, voltei de novo e comecei a pensar melhor. Notei que, se eu puxasse a mochila para as minhas costas, conseguiria caminhar melhor. Fui caminhando até estar a um pulo e duas braçadas do cacau.

Me atirei.

Não sei quanto nadei, mas cheguei ao galho. Tinha atravessado para o outro lado.

Consegui sair do igarapé e subi na margem. Minha mochila pesava muito, todas as minhas coisas estavam encharcadas, aquilo nunca tinha acontecido. Naquele dia tudo estava dando errado.

Eram duas da tarde, eu precisava buscar abrigo, mas tinha que torcer as roupas e secar, porque precisava que estivessem secas para a noite que viria. Pedi a Deus que o sol se abrisse.

"Deus, deixa que o sol se abra. Isso precisa secar."

O que aconteceu na sequência foi impressionante.

Caiu uma das maiores chuvas que eu tinha visto em todos aqueles dias que passei na floresta. Eu, que tinha aprendido a não reclamar, respirei fundo. As câibras eram tão fortes que eu mal conseguia torcer as roupas. Torci tudo, guardei na mochila e pensei analiticamente que era hora de encontrar abrigo.

Precisava caminhar, porque sabia qual era o risco de acampar ao lado do igarapé. Não queria encontrar uma onça. Já tinha tido uma experiência marcante dias antes, quando, ainda no abrigo, senti cheiro de carniça, um cheiro compatível com o da onça depois que ela acaba de caçar e devorar sua presa.

Por sorte, senti o cheiro dela mas ela não sentiu o meu. Provavelmente a direção do vento tinha jogado a meu favor.

De qualquer forma, era arriscado acampar ali, eu não poderia correr o risco.

Continuei caminhando e não achava o local ideal. Diferentemente da outra margem, aquela era muito úmida, não se via uma palmeira, uma sororoca, nada.

"Hoje vou dormir ao relento", pensei. "Por que não fiquei do outro lado?", me questionava.

Já eram três da tarde.

Eu estava realmente preocupado. Nunca tinha passado tamanha dificuldade, nunca estivera tão fraco. Durante toda a caminhada, eu dizia: "Me ajuda, Deus. Hoje eu não sei como vou fazer".

Meu coração estava dilacerado... Seria o meu fim?

Nesse momento, quando as coisas estavam mais difíceis, avistei uma coisa branca no meio da floresta. O que seria aquilo?

Por pura curiosidade, fui lá ver. A cor branca no meio da floresta não é comum. Caminhei naquela direção e, conforme me aproximava, parecia cada vez mais com algo que não pertencia à floresta, e comecei a pensar que seriam os destroços de um acidente ocorrido há muito tempo que não foram encontrados.

Fui me aproximando e descobri que era uma lona branca. O que aquilo fazia ali? Cobria alguma coisa.

Vi umas forquilhas enterradas, uma pilha de ouriço de castanha aberta. Ainda desconfiado, levantei a lona e vi um paneiro cheio de ouriços, uma garrafa térmica azul que continha água, um saco de farinha e as ferramentas para abrir o ouriço.

Era uma área de castanheiro!

Bebi água e decidi que precisava encontrar a trilha daquele povo.

Foi quando ouvi alguém trabalhando. Alguém batia a ferramenta para abrir o ouriço. Eu estava nervoso. Não queria fazer barulho nem assustar quem estivesse ali. Por isso caminhei em silêncio na direção daquele som.

Até que finalmente avistei um homem. Eu o vi, porém ele não me viu. Me aproximei devagar para não espantar ninguém e, depois de 36 dias, pude olhar nos olhos de outra pessoa outra vez e falar:

"Meu nome é Antonio Sena. Sou piloto de avião."

18

O CAMINHO DEPOIS DO CAMINHO

Naquele momento, diante do olhar assustado daquele desconhecido, percebi que eu fazia parte da floresta. Dizem que após oito dias na mata você já fica com o cheiro dela. Como se começasse a fazer parte daquele ecossistema.

Pelo semblante assustado do homem, que estranhava um sujeito se apresentando daquela forma, pude entender que talvez eu estivesse causando medo nele.

Ficamos fitando um ao outro, e apenas alguns segundos de silêncio sagrado depois eu comecei a contar a minha história. Primeiro que o avião tinha caído, depois que eu havia passado muito tempo na floresta. A expressão dele era de tamanho espanto que parecia não assimilar tantas informações.

Talvez nem eu acreditasse se ouvisse aquela história!

Enquanto ele me observava, eu pedia castanhas.

"Eu estou com muita fome, por favor", implorei.

Ele parecia estar com medo e demorou bastante até começar a abrir as castanhas.

Então chegou outro homem, mais desenvolto e falador, que ouviu minha história com atenção. Estava com ouriços nas costas e imaginou que eu fosse um índio.

"Mas como você sobreviveu todo esse tempo?", perguntava, incrédulo.

O nome deles era Goiano e Zé Toco.

Fui contando, ansioso, feliz, com um misto de alegria e incerteza, já que ainda não sabia onde eu iria parar, e perguntei se tinham um abrigo. Eles imediatamente contaram sobre o barracão que tinham ali perto e me convidaram para ir até lá naquele minuto.

Foram quinze minutos de caminhada e, quando avistei a grande lona azul cobrindo um barraco grande, com estrutura e várias pessoas, foi o maior alívio de toda a minha vida!

Naquele momento eu sabia que meu sofrimento tinha finalmente acabado!

Naquele momento eu encontrei as melhores pessoas que poderia encontrar!

Pessoas que me acolheram como se eu fosse um filho retornando para casa!

A dona Maria me recebeu como uma mãe receberia seu filho. Me olhou estupefata com meu estado e ouviu cada palavra do meu relato sobre os dias que passei na floresta. De seus olhos saíam lágrimas que vinham de um coração aflito. Um coração de mãe! Um coração de quem é capaz de ver o sofrimento, de sentir como o outro sente, de quem tem a capacidade de abraçar suas dores.

Ela pediu que eu tirasse a roupa molhada e foi providenciar uma roupa seca e preparar um leite quente com açúcar.

Abriu um pacote de bolacha cream cracker e colocou ao lado de um pote de manteiga.

Aquela foi a melhor refeição da minha vida!

Só que eu mal conseguia abrir a boca. Depois de tantos dias sem comer, ingerindo apenas frutas, era difícil até mesmo mastigar.

O leite estava uma delícia, mas eu só havia comido coisas doces durante todo aquele tempo, daí perguntei: "A senhora tem um pouco de sal?".

Então, ela pegou um punhado de sal, que eu coloquei na mão e aos poucos ia colocando na língua. Que sensação boa! Certamente a minha pressão estava tão baixa que eu mal conseguia me manter de pé. E aquele punhado de sal me fazia voltar a sentir o meu corpo.

Comi o sal com a bolacha, tomei o leite e logo pedi que fizessem contato com a minha família.

Com o rádio amador, ela chamou a filha, que estava em Laranjal do Jari, e pediu que ligasse para a minha família.

Eu mal podia esperar por aquele momento!

19

A ANGÚSTIA

Por Thiago, meu irmão

Meu aniversário tinha sido em 22 de janeiro, e o do Antonio, dia 30. Quando ainda éramos crianças, combinei com ele que, sempre que pudéssemos, nós comemoraríamos juntos.

A ideia era irmos de barco acampar na praia no fim de semana da lua cheia, dia 29. Antonio aceitou o convite, mas poucos dias antes desmarcou, porque tinha conseguido um trabalho para pilotar na região de Alenquer.

No dia 28, eu estava fazendo minha filha mais nova dormir. Eram 20h34 quando minha esposa Luiza mandou mensagem para eu ir até a sala com urgência, mas eu ainda demorei um pouco para sair e ela foi até o quarto me chamar.

Em nenhum momento imaginei que seria algo tão sério.

Quando Luiza me falou, suas palavras foram as seguintes: "O avião que o Toninho decolou não chegou no destino nem voltou para Alenquer".

O piloto que fazia essa rota havia entrado em contato com ela para passar o recado. Como ele tinha indicado o Antonio para o trabalho, ele era a única pessoa a quem os contratantes do voo podiam avisar sobre o que havia acontecido. A única coisa que ele disse foi: "O Antonio não chegou no destino, saiu por volta de 12h30 e não chegou". Naquele instante veio um sentimento de desespero e incerteza! Tínhamos conversado bastante antes de o Antonio decolar, e eu sabia que ele voaria sobre a região de Alenquer, ficaria durante dois ou três dias por lá e que depois desse trabalho iria para Brasília renovar a carteira de piloto.

Eu sabia a origem e o destino, mas a minha preocupação era falar com os contratantes. Eu precisava tentar entender o que poderia ter acontecido, e estar em Alenquer parecia me deixar mais perto do meu irmão. Foi quando entendi que precisava ir para lá.

Eu estava em Santarém e consegui a informação de que às dez da noite naquele mesmo dia sairia uma balsa para Alenquer. Enquanto arrumava as minhas coisas, liguei para o meu amigo Luís para que ele fosse comigo. Mesmo sem saber direito o que estava acontecendo, ele me acompanhou nessa jornada. Uma hora e meia depois já estávamos a caminho de Alenquer. Luís desde o início esteve ao nosso lado.

Seriam sete horas de viagem. Assim que consegui confirmar com os contratantes que Antonio não havia pousado, comecei a pensar em procedimentos e a falar com pessoas da aviação. Não quis envolver mais ninguém para não dizer algo que eu não tivesse certeza.

Durante a viagem, falei com meu cunhado, marido da minha irmã, que é da aeronáutica e conhece o procedimento. Consegui abrir uma ocorrência no SALVAERO – Serviço de Busca e Salvamento, da Força Aérea Brasileira –, para iniciar as buscas. Respondi ao questionário da maneira que sabia e entrei em contato com a minha irmã para contar sobre a situação.

A dúvida era grande, não sabíamos o que fazer.

A caminho de Alenquer para esclarecer aquilo direito, eu e a minha irmã nos preocupávamos que nossa mãe soubesse da notícia através de nós. Mariana só conseguiu contato com ela no dia seguinte.

A noite de lua cheia fazia com que a claridade fosse forte, e, naquelas sete horas de viagem, fiquei nessa angústia, imaginando mil coisas. Se o avião tivesse caído, poderia ter pousado numa pista alternativa ou sido sequestrado.

Foram cinco a sete horas de angústia e incerteza enquanto chorava e não tinha qualquer pista do que pudesse ter acontecido.

Simplesmente alguém tinha decolado de manhã e não aparecido à noite. Algo havia acontecido.

Logo que chegamos a Alenquer, procuramos a veracidade das informações e esperamos a Força Aérea fazer seu trabalho. Na manhã do dia 29, às oito horas, a FAB já estava sobrevoando a cidade para dar início ao primeiro dia de buscas. Mas esse primeiro dia terminou e Antonio não foi encontrado. O desespero tomou conta.

Minha irmã chegou a Alenquer no dia 30 de janeiro, vinda de Manaus.

A FAB usava um avião (SAR 6552), mas também tinha um helicóptero que seria usado quando avistassem o Antonio ou a aeronave para descer na mata e fazer o resgate. Por volta do quinto dia de desaparecimento, soubemos que a FAB tinha acionado o helicóptero de resgate e ficamos muito nervosos e ansiosos, imaginando que poderiam, enfim, ter encontrado o Antonio. Era a primeira vez que o helicóptero saía, só que no final do dia chegou aquela mesma mensagem de todos os anteriores: "Boa tarde, SAR 6552 pousou em Santarém. Aeronave não localizada. Buscas prosseguem amanhã".

Durante os nove dias em que a FAB realizou seu trabalho, a única coisa que poderíamos fazer era aguardar até o anoitecer para termos alguma resposta. Não era possível entrar com outros aviões para ajudar nas buscas, pois o espaço aéreo estava fechado pela FAB.

Já sabendo que o fim das buscas por parte da FAB estava próximo de se encerrar, entendemos que caberia a nós, família, a missão de continuar com elas. Foi nesse momento que percebemos que precisaríamos de ajuda e começamos uma campanha na internet. A intenção era arrecadar dinheiro para trazer uma equipe voluntária de busca terrestre de Joinville para Alenquer. A mobilização foi tamanha que conseguimos trazer não só a equipe de buscas de Joinville, com nove pessoas, mas também outra equipe voluntária de busca de Manaus, com onze, e continuamos fazendo voos esporádicos na região, sempre com o apoio de muitos amigos que estiveram do nosso lado.

A internet acabou nos trazendo uma corrente de amor imensurável, com muitas orações, palavras de acolhimento, e nos fez reviver amizades antigas. Era tanto carinho que tivemos a certeza de que Deus estava do nosso lado, colocando pessoas incríveis perto da gente.

Tínhamos então um meio de comunicação e também um diário com as atualizações de tudo o que fosse possível com aquelas pessoas que nos davam tanto amor. Nesse meio-tempo, íamos para regiões de fazendas, colônias, para conversar com pessoas que possivelmente tivessem visto o avião em rota.

Através de muitos relatos, fomos montando um mapa e delimitamos uma área para colocar as equipes dentro da mata. Tivemos muita dificuldade para acessar essas áreas mais isoladas, mas também recebemos muito apoio dos moradores da região, extrativistas. Montamos algumas frentes de busca e nossas equipes passaram dias dentro da mata varrendo o local para encontrar o Antonio.

Enquanto a FAB estava no ar, nós estávamos enfim fazendo buscas por terra. Era o que podíamos fazer naquele momento.

No final do dia, quando aguardávamos a mensagem da FAB com alguma informação positiva, e quando uma de nossas equipes chegava da mata sem nenhuma resposta, acontecia sempre a mesma coisa: a tristeza de mais uma noite sem encontrar Antonio tomava conta.

Eu sabia que, apesar de estarmos procurando em uma área de mata fechada, onde acabam as fazendas e começa a floresta, ainda assim era uma região "próxima" da cidade, por isso eu dizia: "Ele não caiu aí, ele não escolheria esse lugar. Ele é muito inteligente e esperto pra isso!". Eu imaginava o Antonio com o avião, calculando tudo, como em um filme, sabendo exatamente o que faria em cada situação. Mas era o que estava ao nosso alcance fazer. Sabíamos que a área era enorme, mas também tínhamos a certeza de que precisávamos continuar.

Enfim, depois de nove dias, as buscas da FAB foram encerradas e ficamos por conta própria.

Passadas quase duas semanas, as equipes de voluntários vindos de outros estados precisaram voltar para casa e mais uma vez tivemos que nos reorganizar, erguer a cabeça e dar um próximo passo.

Com a reabertura do espaço aéreo, fizemos sobrevoos esporádicos, tivemos a ajuda de muitas pessoas que cederam seu avião sem cobrar nada, outras que nos levaram para procurar. Conseguimos também contratar voos de avião e helicóptero. Muitos olhares atentos na mata, com a testa colada na janela do avião tentando encontrar algum sinal do Antonio naquele oceano verde. Não descansamos nem por um minuto! Não perdemos a fé!

Foram mais de trinta dias de muita tensão, aflição e desesperança. Frustração, histórias mirabolantes sem quaisquer informações relevantes.

Todos os dias as esperanças se renovavam junto com o sol. As pessoas oravam! Todos estavam confiantes. Nada nos impediria de chegar ao objetivo principal, que era encontrar nosso irmão com vida.

Foi quando um senhor chamado Aldenor, que estava às margens do rio Paru, próximo ao local de destino do Antonio, relatou que havia ouvido e reconhecido o barulho do avião e que conseguiria indicar o local para onde a aeronave teria seguido e "silenciado". Fizemos mais um sobrevoo com esse senhor para entender o que ele dizia ter ouvido. Nesse dia sobrevoamos uma região próxima à área que depois soubemos ser o local exato da queda do avião. Então começamos a nos preparar para mais essa missão, uma missão mais complexa e perigosa que as demais. Seria quase uma semana dentro da mata fechada, sem comunicação.

No dia em que recebemos a notícia, estávamos eu e minha irmã carregando as coisas para o carro e seguiríamos de balsa para a divisa com o Amapá, de onde sairíamos de avião para uma região no meio da floresta para iniciar as buscas.

Era nossa última cartada. Estávamos com todos os equipamentos necessários e com os cartazes que pretendíamos pregar nas árvores para deixar uma mensagem para o Antonio.

E para nossa surpresa... quando estávamos prontos para nossa última missão, ainda em Alenquer, meu celular tocou. Era minha mãe. Estávamos no meio da rua.

Ela disse: "Acharam o Antonio!!!".

Minha mãe chorava e gritava, e eu pedia que ela ficasse calma. Não queria que passasse mal.

"Acalme-se. Quem lhe disse isso?"

Em nenhum momento havíamos passado o telefone da nossa mãe.

Ela deu o telefone da moça e a Mariana ligou. Era a filha da dona Maria Jorge, Mirian.

"Olha, seu irmão apareceu aqui no nosso castanhal."

"Qual o nome dele?", perguntamos, ansiosos.

A resposta veio como um balde de água fria: "Fábio".

Minha irmã respondeu que ele não se chamava Fábio e ela corrigiu imediatamente: "Desculpe, é Antonio".

Começamos a ficar com um pé atrás. Achamos que era mais uma história furada.

Ela estava intermediando nossa conversa, falava com a gente no celular e com ele pelo rádio. Perguntamos o nome completo dele e ela respondeu depois.

Eles acertaram a data de nascimento e mesmo assim não achei que pudesse ser ele.

Desconfiado, eu disse que qualquer pessoa poderia saber a data de nascimento do Antonio.

Foi quando perguntei algo que só ele poderia saber. Algo de que só a nossa família soubesse.

"Pergunte a ele o nome do meu cachorro."

Ela fez a pergunta no rádio e em instantes veio o nome: "Gancho".

Começamos a pular, com vontade de derrubar tudo o que havia à nossa frente. Já tínhamos uma grande esperança. O nome do cachorro estava certo e o telefone da mamãe era aquele. *Só podia ser o Antonio.*

Tentamos contato direto com ele por Alenquer, porém precisávamos de um rádio amador de longo alcance, mas não encontramos um na cidade. Minha esposa tentou contato com meu irmão por Santarém, queríamos escutar a voz dele sem um intermediador, mas, como de costume no interior, os rádios não ficam ligados 24 horas por dia. Tem horário certo para serem ligados por conta do motor gerador de energia.

Mesmo sem ter falado com Antonio diretamente, tínhamos a certeza: ERA ELE! Enfim meu irmão tinha sido encontrado! Era uma felicidade que não cabia em nossos corações, e a notícia do resgate dele se espalhou através dos operadores de radioamador que também souberam da notícia. Todas aquelas pessoas que estavam sofrendo junto com a gente estavam em festa, como se fossem da nossa própria família! Comemoramos muito!

Naquela mesma noite saímos de Alenquer para Santarém de balsa, e de lá seguiríamos de avião para a cidade de Laranjal do Jari, onde morava a filha da dona Maria Jorge, para conversar com Antonio pelo rádio. Quase não chegamos a tempo de embarcar, porque pegamos muita chuva durante a viagem de barco e isso atrasou todo o combinado.

Às sete da manhã decolamos e, chegando à pista de pouso do Laranjal do Jari, já estávamos com Antonio na frequência do rádio. Corremos para o local: era hora de finalmente falar com ele!!!

Lá, mais alto e claro, reconhecemos a voz do meu irmão.

Antonio dizia que estava bem, que tinha sido bem cuidado. E, daí para a frente, com a ajuda dos pilotos que estavam com a gente e que foram fundamentais para o sucesso dessa missão, começamos a montar o plano de resgate. "Você vai abrir uma clareira e fazer fogo. Vocês vão fazer fumaça. Vamos sobrevoar a área e depois, com o ponto de GPS, passamos as coordenadas para o helicóptero". Essa era a instrução. Com a ajuda de um senhor criado naquela região, seguimos de avião pelo curso do rio Paru e, depois, por um pequeno igarapé que por vezes se escondia entre as árvores. Mais de uma hora de voo e a incerteza se conseguiríamos ou não encontrar o acampamento dos castanheiros. Mais uma vez a aflição de não encontrar o Antonio. Até que enfim vimos a fumaça. Ela alcançava a copa das árvores e se dispersava. Não foi fácil localizar, mas, quando a vimos e depois a lona azul que cobria o acampamento, a felicidade tomou conta da gente. Voamos diversas vezes em cima deles, que acenaram de volta. Marcamos as coordenadas do acampamento no GPS, retornamos e passamos para o helicóptero que faria o resgate. Seguimos para o aeroporto de Santarém para aguardá-lo.

Em Santarém, a espera durou aproximadamente trinta minutos. Já tínhamos recebido a foto do meu irmão no helicóptero de resgate, mas a ansiedade de vê-lo, abraçá-lo e saber que ele realmente estava bem tomava conta! Vários conhecidos e amigos o aguardavam do lado de fora do aeroporto. Mais uma vez aquele sentimento de união que nos acompanhou desde o início. No momento em que a aeronave pousou, eu e Mariana corremos até o Antonio, nos abraçamos e parece que tudo o que a gente havia batalhado nos últimos 36 dias teve uma grande recompensa. Dentro daquele abraço em que nós estávamos, eu, Toninho e Mariana, só dizíamos o quanto estávamos gratos a Deus e o quanto nos amávamos! Foi um dos melhores sentimentos que já vivi! Foi um renascimento. Nós estávamos juntos e graças a Deus toda aquela angústia havia chegado ao fim. Não sei como eu viveria se esse não fosse o final dessa história.

20

MÃOS DE FÉ

Por Mariana, minha irmã

No momento em que o Thiago me mandou uma mensagem pedindo o documento do Toninho, eu estava trabalhando e achei aquilo estranho. Foi quando pedi que ele me dissesse logo, sem rodeios: "Por que precisa do documento do Toninho e por que precisa de mim?".

Então ele me contou que o Toninho havia feito um voo e não sabiam se tinha chegado ao destino.

Naquele momento fiz uma retrospectiva da nossa vida como irmãos... Passou um filme na minha cabeça...

Nossa infância e a nossa adolescência juntos tinham sido muito intensas. Aos 18 anos, eu saí de casa e a partir dali cada um seguiu seu caminho. Então, em meus pensamentos, voltei para a nossa casa e me lembrei de como vivíamos, as alegrias, a simplicidade do quintal da minha avó. Apesar daquela distância em que nos encontrávamos naquele momento, eu morando em Manaus e ele em Santarém, aquilo foi como um vulcão entrando em erupção.

Me recordei de como eu cuidava do Antonio e do Thiago quando mamãe não estava presente e das vezes em que o Toninho tinha se acidentado e eu o levei ao hospital. As lembranças de cuidado e carinho vieram à tona.

Quando soube do que havia acontecido com o Toninho, isso me pegou de surpresa!

Eu atuo com projetos de desenvolvimento sustentável e tinha a certeza de que meu irmão estava na Amazônia. Trabalhei com a população indígena e extrativista. Era mais que uma relação profissional – era espiritual.

Meu avô por parte de mãe e meu bisavô por parte de pai foram seringueiros, e essa história mexia com meu lado espiritual. É forte a conexão com a floresta como um ser vivo, porque do meu ponto de vista é claro que ela é um ser vivo! A água funciona como as veias, levando energia para as plantas. A floresta tem uma energia pulsante e ela toda conversa entre si.

Me angustiava saber que Toninho estava em uma situação de risco, mas eu sabia que ele estava amparado por um cuidado espiritual da própria floresta.

Conhecíamos o Toninho.

Ele morou comigo quando estava estudando para ser piloto. E estudava muito! Ficava ouvindo as caixas pretas para evitar acidentes. Eu sabia que meu irmão era competente e inteligente. Havia puxado meu pai. Sagaz e disciplinado. Tinha as ferramentas certas, e eu tinha certeza de que ele iria usá-las.

Quando partimos rumo a Alenquer e as buscas da FAB estavam começando, não existia espaço nem tempo para dúvida.

Ficávamos irritados, claro, quando acontecia alguma coisa que não ajudava.

À noite, era muito cansativo. Conversávamos com pessoas que estavam em lugares remotos e tínhamos esperança porque imaginávamos que o avião poderia ter caído em algum daqueles locais.

Percebi que meu papel não era só ficar percorrendo estradas e entrando nas matas. Àquela altura, já contávamos com a ajuda especializada para as buscas na selva, e essas equipes estavam fazendo seu papel e a polícia também.

Comecei a fazer postagens no Instagram. Eu queria fazer contato com amigos ao mesmo tempo que estava tendo sonhos, visões, comunicações do plano espiritual. Pessoas que diziam que estavam com ele. Eu sonhava com isso, com essas pessoas fazendo essas descrições, e isso me enchia de esperança.

Foi quando vi que eu poderia contribuir com algo mais: com o papel espiritual.

Eu sabia que Toninho estava vivo.

E, em uma das situações em que realmente precisei de ajuda espiritual, enfiei a mão na terra e fiz o pedido: "Peço que meu irmão encontre meios de se comunicar com a gente. Que os seres que habitam este lugar possam trazer notícias sobre que rumo devemos seguir para encontrá-lo".

E eu acredito que toda essa mobilização fez efeito! Recebi de pessoas de todas as religiões uma movimentação de energia tão grande que não existia mais espaço para incertezas. Só existiam a fé e a esperança de que iríamos encontrá-lo.

Era questão de tempo.

Fazíamos orações para protegê-lo de animais peçonhentos, para livrá-lo da chuva, do frio e, no final disso tudo, soubemos que Toninho saiu dali sem ter tido contato com onças nem cobras.

O mosquito é o principal vilão de todos os que entram na floresta. E nosso irmão não teve malária ou gripe, nada. Isso, para mim, foi um trabalho feito a muitas mãos de fé! Essa fé nos sustentou e sustentou Toninho lá dentro.

Eu tinha a convicção de que meu irmão estava sendo muito bem amparado, e foi exatamente o que aconteceu.

Quando Toninho foi resgatado por uma família que se relaciona de uma forma saudável e sustentável com a floresta, e o jeito como foi cuidado por eles, essa foi a parte mais bela.

Aos poucos fomos entendendo as conexões invisíveis de uma imensa rede espiritual das pessoas e da floresta. Compreenda essa sabedoria que não se explica racionalmente e você poderá aprender muito!

Fé e esperança são as ferramentas mais importantes da vida! Não há dúvidas, incertezas ou medo quando acreditamos. Tive a prova mais absoluta disso quando pude rever meu irmão e abraçá-lo novamente!

21

PROCESSOS E PROPÓSITOS

Tudo em nossa vida são processos e propósitos.

Passamos por coisas que temos que passar. A gente não consegue entender como os processos de Deus funcionam. Depois que fui resgatado, sempre que conversava com algum amigo, ouvia a mesma coisa: "Se existe alguém que conseguiria sair de lá, esse alguém é o Toninho".

Talvez Deus sempre tenha me preparado para um momento como aquele.

Não digo isso para me vangloriar, mas somente agora, com a lucidez de estar analisando com calma tudo isso que eu vivi, posso ver a mão de Deus em todas as minhas ações até esse período.

Ele sabia que sozinho eu não conseguiria.

Depois de tudo, percebi que não existem coincidências.

Chovia todos os dias. Apesar de achar ruim, eu nunca reclamava da chuva. Depois, conversando com a família da dona Maria Jorge, descobri que eles nem planejavam ir para aquela área em 2021. Só conseguiram chegar lá porque choveu muito na região onde eu estava, que é justamente a cabeceira do igarapé que eles usam para se deslocar, caso contrário o igarapé não teria subido o suficiente e eles não conseguiriam ir até lá.

Chuva, ó bendita chuva que lava a alma!

Eles nunca conseguiriam ter chegado ali se o igarapé não estivesse cheio o suficiente. E cada chuva que eu pegava estava me ajudando. Isso se conecta com a questão de reclamarmos com Deus. Eu poderia ter reclamado com Deus por causa da chuva, mas Ele estava mandando a chuva para a minha salvação.

Se tivesse dado castanha o suficiente no castanhal de baixo, eles também não teriam ido para lá. Em 2020 eles nem foram para aquela área.

Só ouvi a motosserra porque eles tinham chegado lá fazia apenas três dias e estavam em processo de montagem do barracão. Se eu demorasse mais nas minhas caminhadas, ou se eu fosse mais rápido, talvez não os encontrasse. Se eu não tivesse atravessado aquele último igarapé, talvez não encontrasse o Goiano e o Zé Toco naquela área.

Tantos "ses"...

Quando tudo parecer ir contra você, quando você estiver passando por alguma dificuldade, lembre-se de não reclamar. Essa atitude atrai negatividade e às vezes aquela dificuldade pode ser a sua salvação lá na frente.

A dona Maria Jorge, que me acolheu como uma mãe, era uma mulher humilde. A atividade deles me impressionava.

Quando cheguei lá, o que encontrei foi uma senhora de 66 anos que passa meses na floresta para a colheita da castanha. Eles são extrativistas que trabalhavam na Amazônia e colhiam castanha-do-pará.

A árvore da castanha é enorme, com vinte ou trinta metros de altura, e os ouriços crescem na parte mais alta, caem e não quebram no chão. São fortes e resistentes. Eu mesmo tentei quebrar um ouriço durante a minha caminhada, quebrei duas pedras grandes e não consegui. De lá de dentro vem a castanha-do-pará.

Eles têm o que chamam de "castanhais". Áreas dentro da floresta com muitas castanheiras onde ficam de três a quatro meses, período da queda dos ouriços. Cada um pesa de trezentos a quatrocentos gramas e eles caem de uma altura grande. É preciso ter cuidado.

É um trabalho bastante árduo, que os extrativistas fazem com muito empenho. Primeiro eles precisam recolher os ouriços, depois abri-los ali mesmo, retirar as castanhas, separar as que não estejam tão boas, lavar e ensacar.

E o mais lindo de tudo isso é que o ouriço que caiu até um ano e meio atrás ainda está perfeitamente bom para o consumo. Então todo ano eles voltam para recolher mais castanhas. Sem derrubar uma única árvore.

É uma fonte renovável de sustento para essas famílias, que mantêm a floresta intacta.

Eles sobem os igarapés em grandes canoas de madeira com motores de popa, passando por árvores caídas, na correnteza forte, até chegar à mata fechada. Vão para dentro da floresta para pegar a castanha, fazer todo o processo, levar para a cidade mais próxima e vender.

No barracão da dona Maria Jorge – uma espécie de base em que ficam ao longo desses períodos – eu fui acolhido como um filho. Eles eram uma grande família.

Aquele é um trabalho que fazem há gerações. O avô da dona Maria era extrativista.

Fiquei muito impressionado com o trabalho deles. Era de onde tiravam o sustento de tanta gente.

No momento em que ligaram para a minha família, bastante coisa aconteceu. Tinham tentado contato com a minha mãe, mas era muito difícil. A filha da dona Maria Jorge decifrava o que dizíamos pelo rádio e ligava para eles de lá. Era um telefone sem fio.

Como meus irmãos já tinham recebido muitas informações desencontradas, quando receberam a ligação, a princípio não acreditaram.

Pediram a data de nascimento e outras informações, e eu não entendia por que tanta necessidade de confirmação. Eles não acreditavam que era eu. Não me ouviam bem, eu falava no rádio com a filha da dona Maria e ela repassava minhas respostas. Comecei a entender que eles precisavam confirmar que era mesmo eu. Até que perguntaram uma coisa que só eu sabia.

O nome do cachorro do Thiago. No barracão ninguém conseguia entender direito aquilo e perguntavam: "Cachorro? Por que cachorro?".

Eu respondi: "É Gancho. Só fala que é Gancho".

Quando falaram "Gancho", ouvi uma celebração do outro lado do rádio!

Onde estávamos nós também celebramos! Desligamos o rádio, pois já estava anoitecendo e precisávamos economizar a bateria.

Naquele momento eu estava em um misto de relaxamento por passar uma noite seguro e êxtase por ter avisado minha família que estava vivo. Me empolguei! Dona Maria me ofereceu um peixe frito com um baião, e como bom paraense eu não iria dispensar aquele peixe. Mas não era hora ainda de uma refeição daquelas. Naquela noite tive a maior crise de gastrite da minha vida. Quanta dor eu senti!

"Não é possível ter sobrevivido até aqui e morrer de gastrite agora."

Claro que não morri de gastrite, mas passei por mais um perrengue na última noite dessa jornada. E, enquanto lidava com a dor, pensava na minha família e, principalmente, na minha mãe. Quanto amor eu sentia por eles. Quantas vezes eu tinha ficado de pé e caminhando apenas para que pudesse vê-los e abraçá-los.

A caminhada tinha sido mais longa que o planejado, e eu mal sabia como e quando os veria depois daquela primeira ligação, mas tinha certeza de que em breve estaríamos juntos como sempre estivemos.

Depois de tamanha peregrinação, o amor tinha me salvado. O amor por eles. O amor que me movia e a fé que me fora devolvida.

22

O REENCONTRO

Na manhã seguinte, já passava das nove horas quando finalmente decidimos ligar o rádio. E o que vimos foi um cenário completamente diferente do visto na tarde anterior. Logo que chamamos a Mirian, filha da dona Maria Jorge, ela prontamente respondeu. Já foi logo perguntando por mim, algumas pessoas buscando informações com ela. A polícia local e todos os envolvidos na missão de resgate.

De repente me chamaram no rádio dizendo que era do aeroporto e que alguém queria falar comigo. Prontamente respondi: "Prossiga". E do outro lado ouvi a voz do meu irmão, me perguntando como eu estava. Aquilo me fez cair em lágrimas e eu mal conseguia responder para ele! Em seguida falei com minha irmã e já me sentia cada vez mais perto de casa!

Logo várias pessoas começaram a falar comigo pelo rádio: o pessoal do aeroporto de Laranjal do Jari, pessoas de Santarém, amigos da família, todos querendo colaborar de alguma forma com o resgate.

Tudo aconteceu de forma muito rápida. Começamos a pensar em um plano para o resgate. Enquanto eu fazia meus planos, minha família fazia outros do lado de lá. Foi uma situação engraçada até, porque naquele momento eu já estava bastante relaxado e à vontade com a família da dona Maria Jorge, já brincávamos e eu me sentia parte da família.

O nosso plano era eu sair com eles dali do acampamento e descer o igarapé até chegar ao rio Paru, e só depois disso seguir para Laranjal do Jari e encontrar minha família. Seria uma viagem de um dia e meio pelo menos, de bajara, uma canoa grande e motorizada, até Laranjal do Jari. E eu já tinha aceitado e fiquei até entusiasmado para viver mais essa experiência.

Quando informei esse plano para minha família pelo rádio, eles riram da minha cara! Falaram que eu iria sair dali naquele dia mesmo de um jeito ou de outro. Acho que meu espírito de aventura ainda estava muito aflorado. Depois disso deixei todo o planejamento com eles. E ainda bem que fiz isso. Eles tinham todos os recursos e assessoria para isso.

Havia passado muito tempo lutando para sobreviver e tomar grandes decisões sozinho, por isso não poderia, naquele momento, me esquecer de uma das maiores virtudes: saber trabalhar em equipe. Agora era com eles!

O plano foi primeiro conseguir a localização precisa de onde eu estava. Para isso seria necessário sobrevoar a área e identificar o barracão que servia de base para os castanheiros. Não seria uma tarefa fácil, porque a floresta é muito fechada.

Logo nos pediram que acendêssemos uma fogueira grande para tentar fazer um sinal de fumaça que fosse avistado de longe e facilitasse a busca. Eles foram atrás de alguém que conhecesse bem o local, e esse guia fez a orientação durante o sobrevoo para encontrar o barracão.

Fizemos uma fogueira bem grande e ainda assim a fumaça passava com dificuldade, já que se dissipava ao tocar a copa das árvores.

Assim que eles decolaram, me informaram pelo rádio e fiquei na expectativa de ouvir o avião. Já tinham se passado mais de quarenta minutos de voo e eu tentava controlar a ansiedade quando ouvi aquele som inconfundível do motor PT6A do Cessna Grand Caravan. Foi uma emoção indescritível quando passaram exatamente em cima do barracão. E depois passaram de novo, e de novo. Era o que eu esperava ver desde o dia que em que havia caído, 28 de janeiro de 2021.

Eles passaram várias vezes para confirmar a localização geográfica precisa do lugar e repassar para o helicóptero de resgate. Com essa informação em mãos, ainda havia mais um obstáculo a ser superado. O local exato para o resgate.

Para que o helicóptero pudesse se aproximar, era necessária uma clareira grande, sem árvores altas, onde ele pudesse descer até uma altitude em que fosse possível eu embarcar. E isso não poderia ser feito ali ao lado do barracão dos castanheiros. No entanto, durante o sobrevoo de localização, os pilotos do avião viram uma área que seria ideal para o resgate que ficava às margens do igarapé e que não era muito distante do acampamento.

Definimos que aquele seria o local.

Eles passaram a informação para o helicóptero de resgate e me deram a instrução de esperar ali até a chegada. Fui para o local cinco minutos antes do horário combinado. Esses foram com certeza os cinco minutos mais longos de toda minha a vida. O tempo parecia se negar a passar. Deu o horário combinado e nada do helicóptero; minha apreensão só aumentava. Até que finalmente ouvi o som magnífico daquela máquina.

Conforme ele se aproximava, minha adrenalina ia subindo. Segui as instruções da equipe de resgate e me posicionei onde eles pediram.

O helicóptero desceu até quase tocar o solo, e foi quando um dos tripulantes me deu o sinal para ir em direção à porta e embarcar. Não pensei duas vezes e saí em disparada. De um pulo só, agarrei a mão dele e entrei no helicóptero!

Os castanheiros tinham ido me deixar com a canoa grande e motorizada no local do resgate e ainda estavam lá na margem quando o helicóptero começou a subir. Pude acenar para eles em agradecimento por todo o carinho. Era um aceno de até breve, não de adeus.

A equipe de resgate me levou para Prainha, outra cidade que estavam usando como base de apoio para a operação, e de lá ainda entrei em outra aeronave para ir para Santarém. Seriam mais quarenta minutos de voo. Quarenta minutos de um misto de sensações e sentimentos que não saberia explicar.

Ansiedade, alegria, alívio, cansaço, saudade... acima de tudo saudade!

Passada aquela eternidade que foram os quarenta minutos, finalmente eu pousava em Santarém. Quantas vezes já tinha pousado naquele aeroporto... Mas nenhum pouso foi como aquele. Quando saí do avião, havia muitas pessoas tirando fotos e eu não entendia nada.

Não sabia da repercussão do caso.

Logo que olhei para a frente vi meu irmão Thiago e minha irmã Mariana.

Não contive a emoção e me entreguei ao meu único desejo naqueles 36 dias: poder abraçá-los novamente!

Abracei os dois com toda a força que ainda me restava, com força para nunca mais largar. Eu só conseguia dizer: "Foi por vocês, foi por vocês".

Só me lembro dessa frase.

"Eu amo vocês."

E então tiraram a foto que foi eternizada, do abraço entre nós. O abraço onde eu queria estar até hoje. O abraço que simboliza o amor entre nós, a fé que tínhamos, a esperança. O aconchego, a união, a centelha de Deus que existe em nós. O abraço que todos nós deveríamos nos dar todos os dias. Abraços que permitem que braços se ajudem, que permitem que tenhamos união.

O abraço que simbolizava a vitória de Deus.

Olhei para fora, uma multidão acenando. Amigos, colegas, vizinhos, pessoas que eu nem conhecia. E eu nem conseguia raciocinar. Nunca tinha recebido tanto carinho na minha vida. Me senti abraçado por todos.

Tinham sido 36 dias em que tudo tinha acontecido comigo. Uma queda, uma sobrevivência, um milagre, um reencontro, uma peregrinação na escuridão da minha alma, com provas e expiações que me deram uma profunda dimensão da vida e outra consciência das coisas.

Um período em que me reencontrei com Deus, fui testado na minha fé. Fui até os limites das minhas forças, até descobrir que tinha forças que vinham do Alto.

Foi um período em que me entreguei à fé, e me apeguei ao amor que tinha pela minha família. Um período que eu jamais poderei esquecer.

Se eu pudesse deixar uma mensagem final, seria a de que a gratidão é a base da felicidade.

Precisamos agradecer por tudo: as coisas boas e ruins. Tudo aquilo que está no nosso caminho pode estar conspirando a nosso favor. E a gratidão deve ir além de tudo. Devemos agradecer a cada dia. A cada momento, por todas as situações.

Tudo de bom que nos acontece é resultado da nossa postura diante do que ocorre. Porque podemos ficar decepcionados, esperando que as coisas aconteçam da maneira que queremos, mas devemos confiar, porque Deus sabe das coisas.

A resposta da vida chega.

Devemos semear sempre. Semear amor e fé. Semear gratidão. Vale a pena semear e entender que a vida é um constante movimento. Estamos em constante movimento.

Se perseveramos em gratidão, amor e fé, confiamos em Deus.

Ser grato é sentir uma alegria imensa em servir. E a gratidão nos ajuda a cuidar das feridas emocionais. Devemos ser gratos para buscar a paz. Agradecer pelos momentos bons e ruins.

Agradecer pela vida que nos foi dada e que precisamos celebrar. Todos os dias. Para sempre.

Aponte a câmera do seu celular para este QR code e assista ao vídeo do reencontro com meus irmãos.

23

O DEPOIS

Desde que fui resgatado, tenho sentido o carinho de milhares de pessoas que me encontram pelas ruas e nas redes sociais.

Em todos esses dias após o meu resgate tive a oportunidade de ver essa história por muitos aspectos, através de várias perspectivas. E em cada uma dessas perspectivas eu faço um paralelo com os dias que passei lá na floresta. Acredito que só assim posso entender todas as manifestações de carinho e admiração que tenho recebido.

Quando sobrevoei a mesma região tentando achar o local do acidente – cerca de uma semana após o resgate –, fiquei observando aquela imensidão verde que é a floresta amazônica, e foi quando consegui ter a dimensão do feito. Até então, para mim, eu só tinha caminhado querendo encontrar minha família, mas, olhando lá de cima, pude entender o porquê de muitas pessoas estarem tão céticas quanto ao meu retorno, ou tão abismados com a notícia do meu resgate.

Nesse momento, independentemente do que tenha acontecido comigo, foi uma felicidade estar dentro de um avião! É a minha paixão, o que gosto de fazer!

Todo mundo vê a história como um grande milagre. Uns dizem que fui um herói, outros, que fui um sobrevivente.

A verdade é que hoje eu me vejo como um instrumento.

Uma pessoa que passou por um acidente de percurso, uma surpresa da vida. E que buscou dentro de si todas as forças, todas as ferramentas possíveis para sair daquela situação, mas percebeu que nenhuma das ferramentas físicas e mentais seriam capazes de dar tanta força quanto Deus poderia dar.

Ter sido esse instrumento, que hoje pode fazer tantas outras pessoas serem capazes de resgatar a fé e a esperança, sem terem que passar pelo que passei, me diz que a missão que me foi dada é de suma importância.

Não foi apenas um milagre. Resgatar a fé em Deus, me aproximar Dele, observar como temos todos os dias a sagrada oportunidade de nos conectarmos com essa fonte maior que nos nutre e faz com que ultrapassemos as barreiras de nossa própria força, é uma das maiores lições que podemos aprender nesta vida. E esse foi o primeiro milagre da minha história.

Foi o milagre do amor de Deus, do amor que restaura nossa fé.

Como ferramenta, fui um instrumento divino que hoje é usado para propagar aquilo de que o mundo mais precisa: a compreensão de que somos limitados, de que o que não vemos precisa ser sentido e que devemos cada vez mais nos abrir para isso, principalmente em tempos em que nada aqui na Terra parece nos ajudar.

Em qualquer oportunidade ressalto isso, porque acredito que seja o de que mais estamos precisando neste momento: precisamos dessa força espiritual, desse Deus, dessa fé e confiança para sabermos que não conseguimos nada sozinhos, que a vida é uma prova e que temos que encontrar forças espirituais para passar por provações em que seremos testados. Onde nossa fé e amor serão testados.

Antes de me encontrar com Deus, cheguei a duvidar de que pudesse sair dali vivo. Os minutos em que tentei entrar na mata sem Ele foram instantes de terror. Depois da nossa reconciliação, a vida ganhou uma nova tonalidade. Eu sabia que Ele ia restaurar minha fé.

E precisamos estar atentos e fortes para que a nossa fé seja sempre restaurada.

Em tempos difíceis, a fé nos salva.

Em tempos em que não conseguimos caminhar, Ele nos carrega.

Em tempos em que desacreditamos de nós mesmos, Ele restaura nossa confiança.

E coloca sempre as pessoas certas no nosso caminho.

Ao ter a dona Maria Jorge diante de mim, senti mais uma prova de Sua magnitude. Em sua simplicidade, ela não queria sequer aceitar a recompensa que quisemos dar a ela.

Minha família tinha disponibilizado uma quantia para quem pudesse dar qualquer informação que levasse ao meu resgate. Fui lá levar esse valor pessoalmente, mas ela não queria receber.

Quanta humildade! Isso só vem de Deus. E peço a ele todos os dias que me torne humilde assim.

Eu disse a ela: "Esta recompensa poderia estar na mão de qualquer pessoa, mas, se Deus colocou vocês no meu caminho, é porque é seu. Isso é bênção para a senhora!".

Este livro é sobre bênçãos!

A bênção que eu recebi. A bênção das orações que vieram ao meu encontro. A bênção de resgatar a minha fé, de sobreviver, de entender a força do amor que move uma família numa corrente de esperança.

São bênçãos que se multiplicam. Bênçãos que não percebemos se o tempo todo estivermos submersos no cotidiano – na rotina que nos engole.

Se você observar bem, existem tantos milagres acontecendo dia após dia ao seu redor. Tanta beleza, magníficos acontecimentos sendo orquestrados para te preparar para algo. Sincronicidades e verdadeiras belezas.

A vida por si só é um milagre inexplicável.

E precisamos estar inteiros. Corpo, mente e espírito.

Ninguém chega a lugar nenhum se estiver pela metade. Com o espírito quebrado. Você pode restaurar sua fé em um, dois, três ou podem ser necessários 36 dias. Leve o tempo que for. Entenda o seu tempo. Entenda o tempo de Deus.

E renasça.

Todos os dias.

POSFÁCIO: A GRANDE MÃE

Nessa epopeia que vivi, eu não poderia deixar de falar dela, a Grande Mãe que me acolheu, protegeu e me deu vida enquanto estive perdido.

Se falamos tanto de Deus neste livro, precisamos deixar uma coisa bem clara: não há lugar onde Deus esteja mais presente do que na natureza. E foi na floresta, essa grande mãe que oxigena o mundo com um pulmão vigoroso e não deixa ninguém sem respirar, que obtive o meu oxigênio, o meu descanso.

A floresta me salvou, e eu percebi o quanto nós a desprezamos. O quanto a floresta amazônica, a Grande Mãe do Brasil, tem sido negligenciada.

É enorme a bandeira que eu quero levantar depois que estive ali, vendo tanta diversidade, a natureza viva e o meio ambiente intocado. É a bandeira pela preservação da natureza. Dessa natureza que nos dá tudo. Somos seres da natureza, somos parte dela e nos esquecemos disso. Nós nos esquecemos de que o ser humano precisa de água, fogo e abrigo. Que pode tirar seu sustento e sua sobrevivência da terra, mas que, na ânsia de tanto querer, destrói aquela que o alimenta: destrói a natureza.

Se eu pudesse fazer um único apelo, seria para que as pessoas se conectassem com Deus e se lembrassem de que a maior criação Dele somos nós, e precisamos estar integrados à mãe natureza.

Algumas vezes, um salto de fé é o nosso único meio de transporte. Ao dar o meu salto de fé naquela floresta, confiei que aquela terra sagrada poderia me nutrir e me guiar se eu não a desrespeitasse, se eu me mostrasse pequeno diante de sua grandeza e de seus mistérios.

Foram noites de medo em que percebi ser incapaz, mas que me sinalizaram como os seres humanos acreditam serem maiores do que realmente são e desprezam as forças naturais que regem o universo.

Meu avô foi extrativista e sempre esteve conectado com a história da floresta amazônica. Minha irmã se formou em engenharia ambiental justamente para estudar o meio ambiente que nos cerca. E sobrevoar a mata nunca me deu a mesma dimensão de estar dentro dela. Estudar o meio ambiente sem interagir com ele não nos permite entender quão rico e valioso ele é.

Quando encontrei os castanheiros, que tiram seu sustento da terra, percebi a grandeza da floresta, da natureza, da nossa terra, que nos dá tudo de que precisamos e não nos pede nada em troca.

Este capítulo é quase uma oração. Um pedido para que possamos ter mais humildade e entender que, como seres humanos, não somos nada sem a natureza. A tecnologia de ponta pode nos deixar na mão. Um avião moderno, com os melhores equipamentos, pode falhar, mas o nosso corpo é equipado com uma força que desconhecemos. O nosso espírito é dotado de força, e a natureza – tão desprezada, essa Grande Mãe que nos sustenta – não é lembrada até que faça falta.

Não podemos ficar sem água. Sem alimento. Sem oxigênio. Mas vivemos sem tablets, sem tecnologia. Por mais que ela avance, não é sempre que os melhores laboratórios e medicamentos podem ser tão eficazes quanto os recursos naturais ou uma vida em sintonia com a natureza.

Que estas minhas palavras, inspiradas pelos 36 dias em que vi inúmeras espécies interagindo na mais profunda sintonia no meio da Amazônia, façam você refletir sobre a sua importância na preservação desse ecossistema.

O futuro sem Deus e sem essa Grande Mãe que nos sustenta não é nada!

Somos pequenos demais diante disso tudo e precisamos apenas entender essa realidade.

AGRADECIMENTOS

Gostaria de agradecer primeiramente a Deus. Esta história não teria o final feliz que teve sem a presença Dele.

Deus, obrigado por ter me acolhido, por ter sido meu companheiro e demonstrado tamanho amor.

Gostaria de agradecer também à minha família, que permaneceu incansável, mesmo diante de probabilidades ínfimas e de desafios gigantescos. Principalmente aos meus irmãos, Mariana e Thiago. Vocês são os meus heróis. A força, a determinação e a resiliência de vocês me inspiram neste novo momento da minha vida. Vocês serão a história do próximo livro.

Meu mais sincero agradecimento à família Tavares, representada pela figura de dona Maria Jorge. O carinho com que vocês me acolheram me emociona até hoje. O trabalho que vocês desenvolvem na floresta é lindo e merece ser apoiado. A sua luta já é a minha luta.

Agradeço em especial, também, a TODAS as pessoas que se uniram nessa maravilhosa corrente de oração e de energia, independentemente de religião ou crença. Hoje posso ver e reconhecer a força que eu sentia vindo das suas preces. Se hoje estou aqui, é porque pude sentir essa fé e essa força. Minha vida é a prova disso.

Por fim, quero agradecer também aos povos da Amazônia. Durante minha vida tive oportunidade de conviver com ribeirinhos, mateiros e caboclos da região, e o ensinamento e o conhecimento adquiridos com eles também me fizeram estar aqui vivo hoje. Que cada vez mais possamos ouvir essas pessoas e aprender a coexistir com a floresta de forma sustentável.

A floresta me proveu e me manteve vivo todo esse tempo. Ignorar isso é ignorar nossa própria existência.

Fontes DRUK, LYON
Papel ALTA ALVURA 90 G/M²